清 陳鏡伊編

道德叢書 之五

官吏良鑑

清廉類、循良類
忠直類、仁德類
奸邪類、建設官
財務官、考試官
外交官

世界書局

官吏良鑑

官吏良鑑 道德叢書之五

江蘇海門陳鏡伊編

目次

第一篇 清廉類

不儲官祿　喪無所歸
夏無幬帳　布衣不完
敝車羸馬　器服卒陋
布被丞相　布被縕袍
布衣蔬食　共食粗糲
躬自斬芻

第二篇　循良類

道不拾遺　三則　拾遺求還
犬不夜吠　蝗不入境
枯樹生枝　吏民信愛

第三篇　忠直類

第四篇　仁德類

第五篇　奸邪類

降賊被拷　降賊受辱

貪汚失官　貪汚抄家

貪汚被火　枉爲貪官 三則

貪資不享　轉輾貪殺

貪詐神誅　貪刻貽笑

姦貪狠愎　刻虐坐貶

驕盈　奢侈

諂奢貪吝　吝嗇

枉費鑽營　柔弱無能

執拗護短

第六篇　建設官

催科不擾　濟人利物

興利除弊　重賦厚斂

峻刻釀禍　貪贓移害

火懲貪汚　枉爲貪官

第八篇　考試官

拒托絕弊　不狥私情

誓不苞苴　不執成見

納言受過　誤黜神譴

無心造業　得賄釀禍 三則

挫人所長　挾嫌抑人

第九篇　外交官

壯氣迫人
至死不屈
不辱使命
痛哭乞師
奇策制勝
貪惡沒家

持節不屈
拘囚不屈
死不事敵
截指乞師
曉敵地勢
何苦貪財

官吏良鑑　道德叢書之五

江蘇海門陳鏡伊編

第一篇　清廉類

拒金不納（一）

楊震遷東萊太守。道經昌邑。所舉荊州茂才王密爲昌邑令。謁見時懷金以遺震。震曰：「故人知君。君不知故人。」密曰：「暮夜無知。」震曰：「天知。地知。子知。我知。何謂無知。」密慚而退。後震位至三公。子孫奕世顯貴。

拒金不納（二）

宋盧某夜懷百金送王旦。求爲江淮發運。公辭曰：「顧君之才不堪此職。敢以私賂廢公道乎」盧慚而退。終夕忿咒願其速死。一夕夢神叱曰「王旦盡心爲國。汝欲其速死。帝將罪汝矣」及醒汗流遍體。數日而卒。

不受一錢

晉鄧攸爲吳郡守。載米之郡。俸祿無所受。唯飲吳水而已。時郡中大饑。攸表賑貸未報。輒開倉救之。後去職。郡常有送迎錢數百萬。攸去郡。不受一錢。百姓數千人留牽攸船。不得進。乃夜中發去。吳人歌之曰「紞如打五鼓。雞鳴天欲曙。鄧侯拖不留。謝令推不去」（晉書良吏傳）

不受贈與

漢歐陽地餘爲少府。戒其子曰「我死。官屬送汝財物。愼毋受。汝

儒者子孫以廉潔著可以自成」及地餘卒少府官屬共送數百萬其子不受朝庭聞而嘉之

不受賀儀

明海瑞爲冢宰以幣物賀者俱不受名紙用紅者亦以爲侈惡之鄒元標以青蚨三十文入賀出諸袖瑞喜曰「如此方是」乃受之越數日置酒酬鄒惟餚四盂市餅一盤酒數巡而已

禮不敢送

唐李師古跋扈憚杜黃裳爲相未敢失禮命一幹吏寄錢數千繩幷氈車一乘使者未敢遽送於宅門伺候累日有綠衣出從婢二人青衣襤褸言是相公夫人使者遽歸以告師古折其謀終身不敢改節　舊唐書

清比黃河

宋包拯爲郡守。不少屈法以狥鄉曲。吏事推爲第一。知開封府。貴戚宦官爲之斂手。吏民不敢欺。童稚婦女亦知其名。呼曰：「包待制」。京師爲之語曰：「關節不到。有閻羅包老」。以其笑比黃河清焉。爲人峭直剛毅。惡吏苛人。雖嫉惡如仇。而未嘗不推以忠恕。與人不苟合。不僞辭色以悅人。平生無私書。故人親黨干謁。一切絕之。其飲食服用。善儉朴。雖貴如布衣時。

儉以養廉

司馬溫公言。先公爲郡判時。客至置酒。或三行五行。不過七行。酒沽于市。果止于梨、栗、棗、柿。餚止脯、醢、菜羹。器用磁漆、竹木。當時士大夫皆然。人不相非也。近日士大夫家。爭尙奢靡。相習成風。或延一客。酒皆名釀。物必奇珍。器皿務金銀犀玉。每作一會。必費一二萬錢。如此。仕宦。安得不貪。

家無餘財

朱邑為桐鄉嗇夫。廉平不苟。以仁愛為行。未嘗笞辱人。存問耆老孤寡。遇之有恩。吏民愛敬焉。後為大司農。祿賜頒分九族鄉黨。家無。餘。財。

家無担石

後漢范遷為司徒。有宅數畝。田一頃。推與兄子。妻曰：「君有四子。而無立錐之地。可餘俸祿。為後世業。」遷曰：「吾備位大臣而蓄財。求。利。何以示後世。」薨後。無担石焉。

不置田宅

漢疏廣致仕歸。設酒食。請族人故舊相娛樂。或勸買田宅。廣曰：「我豈老誖不念子孫哉。顧自有舊田廬。令子孫勤力其中。足以供衣食。復增益之。但教子孫怠惰耳。賢而多財。則損其志。愚而多財。則益其過。且富者。衆之怨也。吾既亡以教子孫。不欲益其過而生怨。」人皆服之。

不治垣屋

蕭何為相。置田宅。必居窮處。為家不治垣屋。曰：「後世賢。師吾儉。不賢。毋為勢家所奪。」

不營產業

南史徐勉加中書令。不營產業。俸祿分贍親族之貧者。或從容致言。勉曰：「人遺子孫以財。我遺之清白。子孫才也。則自致輜軿。如不才終爲他有」

不儲官祿

後漢龐公辭官居峴山躬耕壟上劉表問曰「先生居畎畝不儲官祿何以遺子孫乎」公曰「世人皆遺之以危吾獨遺之以安雖所遺不同未爲無遺也」

喪無所歸

漢杜詩爲南陽太守性節儉而政治清平誅暴立威善於計略省愛民役造作水排創鑄農器用力少見功多百姓便之又修治陂池廣拓土田郡內比室殷足時人方於召信臣故南陽爲之語曰「前有召父後有杜母」雅好推賢數進知名士詩身雖在外盡心朝廷讜言善策隨事獻納視事七年政化大行卒後司隸校尉

鮑永上言詩貧困無田宅喪無所歸詔使治喪郡邸賻絹千匹。後漢書

夏無幬帳

南史孫謙爲巴東太守布恩惠之化蠻獠懷之競餉金寶謙慰諭而遣之一無所納齊初爲錢塘令御繁以簡獄無繫囚及去百姓載縑帛送之不受每去官輒無私宅借空車廄居焉梁天監時爲零陵太守郡多猛獸爲暴謙至絕跡及去官之夜猛獸即害居人謙爲郡縣嘗勸課農桑務盡地利收入常多于鄰境居官儉素冬則布被莞席夏無幬帳而夜臥未嘗有蚊蚋人多異焉卒年九十二。

布衣不完

晉吳隱之爲晉陵太守。在郡清儉。妻自負薪。入爲中書侍郎。遷左將軍。雖居清顯。祿賜皆班親族。冬月無被。嘗浣衣。乃披絮。勤苦同於貧。元興初。進前將軍。賜錢五十萬。穀千斛。歸日。裝無餘資。及至家。祇茅屋六間。尋拜度支尚書。每月得祿。裁留身糧。餘振親族。或并日而食。身恆布衣不完。嫁女。謝石知其貧。乃令移廚帳助經營。使者至。見婢牽犬賣之。此外。蕭然無辦。後至番禺。妻劉齎沈香一斤。隱之見之。投湖亭之水。

儆車羸馬

唐賈敦頤數歷州刺史。極廉潔。入朝常盡室行。車一乘。儆甚羸。馬繩羈。道上不知其刺史也。任瀛州時。州瀕滹沱滱二水。歲溢壞室廬寖洳數百里。敦頤爲立堰墉。水不能暴。百姓利之。在洛州時

洛多豪右。占田類踰制。敦頤舉浚者三千餘頃。以賦貧民。發姦擿伏。下無能欺。卒年九十餘。（唐書循吏傳）

器服卒陋

梁傅昭為中書舍人。時居此職者。皆勢傾天下。昭獨廉靜無所干豫。器服卒陋。身安粗糲。有薦魚者。既不納。又不欲拒。遂委之門側。棄而不食。

布被丞相

漢公孫弘為人恢奇多聞。博學。以儉約名。常謂人主病不廣大。人臣病不節儉。為布被。食不重肉。

布被縕袍

北魏高允為相。魏高宗幸其私第。惟草屋數間。布被縕袍。廚中鹽菜。而。已。高宗歎曰：「古人之淸貧。豈有此乎。」

布衣蔬食

三國毛玠少爲縣吏以淸公稱。魏太祖爲丞相。玠嘗爲東曹掾。與崔琰並典選舉。其所舉用皆淸正之士。雖於時有盛名而行不本者。終莫得進。務以儉率人。由是天下之士。莫不以廉節自勵。雖貴寵之臣。輿服不敢過度。太祖歎曰：「用人如此。使天下人自治。吾復。何。爲。哉。」玠居顯位。常布衣蔬食。賞賜以振施貧族。家無所餘。

三國魏志

共食粗糲

漢伏諶爲平原太守。時天下驚擾。諶謂妻子曰：「一穀不登。國君撤。膳。今。民。皆。饑。奈。何。獨。飽。」乃共食粗糲。分俸以賑鄉里。幷來客百餘家。後封侯。子孫世世顯貴。

躬自斬芻

漢第五倫爲會稽太守。躬自斬芻養馬。妻執炊爨。受俸裁留一月。粮餘皆賤貿于民之貧羸者。

第二篇　循良類

道不拾遺（一）

漢卓茂習詩禮。爲通儒。寬仁恭愛。恬蕩樂道。雅實不爲華貌。行己在清濁之間。自束髮至白首。與人未嘗有爭競。鄉黨故舊。雖行能與茂不同。而皆愛慕欣欣焉。爲密令。視民如子。舉善而教。口無惡言。吏民親愛不忍欺。數年。教化大行。道不拾遺。平帝時。大蝗河南二十餘縣。獨不入密縣界。

道不拾遺（二）

漢黃霸爲潁川太守。使郵亭鄉官。皆蓄雞豚。以贍鰥寡貧窮。置父老伍長。行之民間。勸善防姦。務耕桑。節用殖財。種樹蓄養。力行教化。而後誅罰。嘗言「凡治道。去其太甚者耳」。霸外寬內明。治爲天下第一。宣帝詔曰：「潁川太守宣布詔令。百姓鄉化。孝子弟弟。貞婦順孫。日以衆多。田者讓畔。道不拾遺。養鰥寡。助貧窮。獄中八年。亡重罪。」

道不拾遺（三）

宋劉敞知鄆州。先是鄆政不治。市邑攘敓。公行。敞至。決獄訟。明賞罰。境內肅然。客行壽張道中。遺一囊錢。人莫敢取。里長爲守視。客還之。又有暮遺物市中者。旦往。訪之。故在。先是久旱。地多蝗。敚至而雨。蝗出境。

拾遺求還

漢鄭宏爲騶令。勸行德化。部人王逢等。得路遺寶物。懸于道。衢求主還之。魯國大旱。騶獨致雨。蝗起太山。流被郡國。過騶不集。

犬不夜吠

漢劉寵爲會稽太守。山民愿朴。有白首不入市井者。頗爲官吏所擾。寵簡除煩苛。禁察非法。郡中大化。徵爲將作大匠。山陰縣有五六老叟。龐眉皓髮。自山谷間出。人齎百錢以送。寵勞之曰。「父老何自苦。」對曰。「山谷鄙生。未嘗識郡朝。它守時。發求民間。至夜不絕。或犬吠竟夕。民不得安。自明府下車以來。狗不夜吠。民不

見吏年老值聖明今聞當去故自扶奉送」寵曰「吾政何能及公言邪」各選一大錢受之

蝗不入境

魯恭爲中牟令時鄰境大蝗惟中牟不入河南尹袁安使掾察其政績恭隨行田間坐桑下有雉止其旁一小兒狎之不捕也問何故兒曰「雉方將雛」掾謂公曰「蝗不入境一異也雉不懼人二異也童子不攫生三異也」還報尹上書言狀徵爲侍御史

枯樹生枝

梁褚翔爲義興太守省繁苛去浮費百姓安之郡之西亭有古樹積枯死翔至郡忽生枝葉百姓咸以善政所致

吏民信愛

倪寬爲左史。勸農桑。緩刑罰。卑禮下士。務在得人。擇用仁厚士吏。民大信愛之。開六輔渠以廣溉田。收租稅。與民相貸假。以故租多不入。後有軍發。左內史以負租課殿。民聞皆恐失之。牛車担負輸租。不絕。課更以最。

愛如父母

宋程顥調晉州令。民以事至縣者。必告以孝弟忠信。度鄉村遠近爲伍保。使之力役相助。患難相恤。凡孤煢殘廢。行旅疾病。皆有所養。鄉必有校。暇時親至。召父老與之語。兒童所讀書。親爲正句讀。鄉民爲社會。爲立科條。旌其善惡。在縣三年。民愛之如父母。

問民疾苦

宋張橫渠先生令雲巖。以敦本善俗爲先。每月吉召年高者具酒食。親爲勸酬。使人知養老事親之義。因問民疾苦及告所以訓誡子弟之意。且使往告其鄉里。民有因事至庭。或行過於道。必問某時命某告若曹某事。若聞之乎。聞則已。否則責其受命者。曰「何慢不傳告也」。故一言出。雖婦人孺子。無不預聞。民用丕變。

問民疾苦（二）

漢韓延壽爲潁川太守。潁川多豪強難治。常選良二千石。先是趙廣漢令相告訐。由是以爲俗。民多怨仇。延壽欲更改之。敎以禮讓。恐不從。乃召郡中長老爲鄉里所向信者數十人。設酒具食。親接以禮義。人人問以謠俗民所疾苦。爲陳和睦親愛銷除怨咎之路。皆以爲便。可施行。因與議定嫁娶喪祭儀品。依古禮。不得過法。於是令文學校官諸生。執俎豆。爲吏民行喪嫁娶禮。百姓遵用其敎。

數年徙東郡黃霸代之因其迹而大治延壽爲吏上禮義好古教化所至必聘其賢士以禮待用廣謀議納諫諍表孝弟有行修治學官春秋鄉社陳鐘鼓管絃盛升降揖讓及都試講武設斧鉞旌旗習射御之事治城郭收賦租先明布告其日以期會爲大事吏民敬畏趨向之又置正五長相率以孝弟不得舍姦人閭里阡陌有非常吏輒聞知姦人莫敢入界其始若煩後吏無追捕之苦民無箠楚之憂皆便安之接待下吏恩施甚厚而約誓明或欺負之者延壽痛自刻責吏聞者自傷悔其縣尉至自刺死門下掾自剄人救不殊因瘖遺吏醫治厚復其家在東郡三歲令行禁止斷獄大減爲天下最

鉤訪民隱

宋醕熙八年。浙東大饑。王淮薦朱熹提舉浙東常平茶鹽。卽日單車就道。始拜命。卽移書他郡。募米商。蠲其征。及至。則米已輳集。熹日鉤訪民隱。按行境內。單車屏徒從。所至。人不及知。郡縣官吏憚其風采。至自引去。所部肅然。凡政有不便於民者。悉釐革之。

化賊爲民

宋張詠知益州。時寇掠之際。民多脅從。詠諭以朝廷恩信。使各歸田里。且曰：「前日李順脅民爲賊。今吾化賊爲民。不亦可乎。」有謀訴者。詠灼見情僞。立爲判決。人皆厭服。其爲政恩威並用。蜀民畏而愛之。先是。城中屯兵尚三萬人。無半月食。詠知民間舊苦鹽貴。而廩有餘積。乃下其估。聽民以粟易鹽。未踰月。得米數十萬斛。度有二歲備。奏罷陝西運糧。帝喜曰：「此人何事不能了。」咸平

六年。帝以詠前在蜀治政優異。復自永興軍徙知益州。民皆鼓舞相慶。政績益著。下詔褒美。厭即壓本字

盜賊解散

漢龔遂拜渤海太守。召見。問何以治盜賊。對曰「海瀕遐遠。不霑聖化。其民困於飢寒。而吏不恤。故使陛下赤子。盜弄陛下之兵於潢池中耳。今欲使臣勝之耶。將安之也。」上曰「選用賢良。固欲安之也。」遂曰「臣聞治亂民猶治亂繩。不可急也。惟緩之。然後可治。臣願丞相御史且無拘臣以文法。得一切便宜從事。」上許焉。至渤海界。郡發兵以迎。遂皆遣還。移書敕屬縣。罷逐捕吏。諸持田器者皆為良民。吏毋得問。持兵者乃為賊。遂單車至府。盜賊聞遂教令。卽時解散。棄其弓弩。而持鉤鋤。於是悉平。民安土樂業。遂

乃開倉廩。假貧民。選用良吏。慰安牧養焉。齊俗奢侈。好末技。不田作。遂躬率以儉約。勸民務農桑。各以口率種樹畜養。民有帶持刀劍者。使賣劍買牛。賣刀買犢。曰「何不帶牛佩犢」。勞來循行。郡中皆有畜積。四年獄訟止息。

革除陋俗（一）

隋辛公義爲岷州刺史。其俗有病。卽合家避之。由是多死。公義令巡檢有病者。以牀輿至廳事。疫時廳廊悉滿。親坐其間。迎醫市藥。於是悉差。諸病家慚謝。此風遂革。後遷牟州。復著善政。時山東霖雨。自陳水至於滄海。皆苦水災。境內犬牙相錯。獨無所損。山出黃金。獲之以獻。詔令就鑄焉。乃聞空中金石絲竹之響。（隋書辛公義傳）

革除陋俗（二）

明陳毅軒為諸曁令邑有淹女之俗乃委曲設法勸止念民苦嫁貲為定上中下三則裁定禮儀即著為令無厚薄民甚便之其俗遂化子文莊探花及第

善政神助

祝乾壽為崐山令有善政未嘗枉一人遠近稱之嘉靖時倭犯吳中圍崑山城五十餘日乾壽撫循守禦備至倭人至攻西門已入闉堵乾壽當矢石立樓櫓欲急發樓上板堅不可動忽有持斧至者自稱唐聖連發二板雜下火具壓以巨石倭死者甚衆遂退城得不陷乾壽求持斧者賞之不得其人士著人曰「唐時有卜將軍名聖者葬城西南隅」求其跡果然遂立祠土山後乾壽官至憲司

第三篇　忠直類

抗論極言

宋歐陽珣崇寧五年進士。金人犯京師。朝議割地。珣率其友九人。上書極言祖宗之地尺寸不可以與人。復抗論當力戰。戰敗失地。他日取之直。不戰割地。他日取之曲。時宰怒。乃遣奉使割深州。珣至城下慟哭。謂城上人曰：「朝廷爲姦人所誤。至此。吾已辦死來矣。汝輩宜勉忠義報國家。」金人怒。執送燕焚死之。宋史忠義傳

直言敢諫（一）

秦茅焦聞始皇遷太后於雍。下令敢諫而死者二十七人。焦請諫。王大怒。按劍而坐。口正沫出。趣召鑊欲烹之。焦徐行至前曰：「臣

聞有生者不諱死。有國者不諱亡。死生存亡。聖主所欲急聞也。陛下有狂悖之行四。不自知邪。車裂假父。囊撲二弟。遷母於雍。殘戮諫士。桀紂之行。不至於是。令天下聞之。盡瓦解。無向秦者。臣竊爲陛下危之』。言巳。乃解衣伏質。王下殿手接之。爵以上卿。自駕迎太后歸。復爲母子如初。太后大喜曰。『天下亢直。使妾母子復相見者。茅君之力也』。楊子曰。『茅焦諫秦王。可謂靡虎牙矣』。

直言敢諫（二）

唐陽城爲諫議大夫。久不言事。及德宗貶陸贄。欲相裴延齡。上怒不測。無敢救者。城曰。『諫諍有職。豈可令天子信用奸臣。殺無罪人』。乃率羣諫守延英門。上疏論延齡奸佞。贄無罪。上欲罪城。太子救免。

遇事敢言

劉安世少慕司馬溫公德望。從之學。公教之以誠。令其恪守無妄。劉敬佩之。厥後歷官臺諫。遇事敢言。一時目爲殿上虎。生平以大節自勵。嘗曰：「我欲爲元祐全人。見司馬公於地下耳。」卒爲名臣。

忠直敢言

宋劉器之登第後。力學不倦。日講性命之旨。人勸之稍息。答曰：「隱居求志。行義達道。原非兩事。吾僥倖太早。毫無知識。昔漆雕開爲聖門高弟。尙以未能信斯爲歉。我何人斯。敢不自勉。」及拜諫官。忠直敢言。累抗疏論章惇小人不可用。人皆爲咋舌。及惇用事修前怨。公遂遠竄。宋時流貶之處。以兩粤爲極惡。人言春循梅新與死爲鄰。高廉雷化說著便怕。凡此八州。公歷其七。雖盛暑炎日。泛海冒險。監督者不稍寬假。人皆謂公必死。而竟無恙。時有胥郎揣惇意。欲徑殺公。惇卽擢爲本路判官。其人飛馭來去。貶所讒二十里止宿驛亭。擬於明日處公。左右震懼。夜半忽聞鐘聲。胥郎如有物擊。大叫嘔血而死。惇復具疏揑奏。誣以重案殺公。疏未發而事敗。帝念公前言。立擢回朝。歷平章國事。以福壽終。非天佑善人之明驗歟。

可對人言

宋司馬溫公。孝友忠直。嘗自言吾無他過人處。但平生所爲。未有不可對人言者。居洛十五年。田夫村婦。無不仰其爲人。及赴闕。衛士望見。皆以手加額曰。「此司馬相公」所至之處。民皆遮道而迎。願其留相天子。及為相。契丹聞之。戒其下曰：「中國相司馬慎毋生邊事」。後薨。京師之民皆罷市而弔。鬻衣以奠。會葬者數萬人。嶺南封州父老亦相率而至。

寧黜不枉

宋太祖疑符彥卿有異志。遣王祐按之。謂祐還當與顯秩。祐不狥太祖意。為白其事。竟不大用。乃手植三槐於庭曰：「吾子孫必有為三公者」。子旦。為宋賢宰相。

不肯誣下

清柴雲巖正直不阿。任池州太守時。有巡按衛某者。與柴為同年友。欲以私怨叅石埭令。囑柴誣列罪狀。言至再三。柴不應。衛怒曰：「如此則以狥庇借重矣」。柴曰：「守令賢否。公論難逃。吾不能以人之身家性命昧此心以逢迎上臺也」衛果以狥庇附ㄍ去官之日紳士軍民莫不遮道揮涕此順治十四年間事明年海賊搶郡城後官以失守處分柴則降調脫然事外歷官廣東藩憲長子謙爲御史子孫科名甚盛

不較私讎

元威得卜與耶律楚材不合奏楚材用南朝舊人恐有異志不宜重用因誣構百端必欲置之死地鎮海粘合重山等俱讓楚材曰「何爲忍之」楚材曰「立朝廷以來每事皆我自爲果獲罪我自當之」蒙古主察其誣逐其使者已而威得卜爲人所訴帝命楚材鞫治楚材曰「此人倨傲故易招謗今方有事南方他日治之未晚也」蒙古主私謂近侍曰「楚材不較私讎眞寬厚長者汝

曹當效之。」

不念夙怨（一）

唐劉仁軌爲給事中。按畢正義事。李義府深怨之。出爲青州刺史。會討百濟。仁軌浮海運糧。遭風失船。命監察御史袁異式鞫之。謂仁軌曰：「君宜早自爲計。」義府所囑仁軌曰：「當官失職。國有常刑。若使遽自引決以快讎人。竊所未甘。」乃具獄以聞。上命除名以白衣從軍自効。及爲大司憲。異式懼不自安。仁軌歷觴告之曰：「仁軌若念昔事。有如此觴。」唐通鑑綱目

不念夙怨（二）

魏仁甫爲人寬厚。作坊使費延徽有寵於帝。與仁浦爲鄰。欲併仁浦所居以自廣。屢譖仁浦於帝。幾至不測。乾祐三年。帝爲亂兵所

弒。仁浦從郭威（周太祖）入京師。有擒延徽以授仁浦者。仁浦謝曰：「因亂而報怨。吾所不為也。」力保全之。當時稱其長者。郭威聞之。待仁浦益厚。　五代紀事本末

不念夙怨（三）

趙槩與歐陽修同在館閣。趙厚重寡言。歐學問淵宏。才情發越。素常輕趙。雖同盤飲食。而視之蔑如也。歐有甥女張氏再醮。歐適當春日。有詠新綠小詞。名「望江南」。其詞曰：「江南柳。新綠未成陰。枝嫩不宜輕折。落黃鶯飛上力難禁。留取待春深。十四五。懷抱琵琶尋。堂上簸錢堂下走。那時相見已關心。何況到如今。」忌者誣指公此詞為張而作。奏上發審。張備受楚毒。未嘗承認。時上怒甚。具獄甚迫。二府皆欲文致成其罪。而槩獨上疏為公辨白曰：「

歐陽修以文學爲近臣。不可以閨房曖昧之事。輕加汙衊。臣與修踪跡素疏。而修之待臣亦薄。所惜者朝廷大體耳」上感悟釋修。或告槩曰：「修昔輕公。不報之。而反救之何也」槩曰「以私廢公。吾不取也。」嗚呼如槩者可謂大臣矣。宜其享福壽也。

不爲僞證

唐張易之等怨魏元忠。因譖下制獄。密引舍人張說。賂以美官。使證之說。初許之。召入中書。舍人宋璟謂曰「名義至重。鬼神難欺。不可黨邪害正。若獲罪流竄。其榮多矣。若事有不測。當叩閤力爭。與子同死。努力爲之。萬代瞻仰。在此舉也」侍御史張廷珪曰「朝聞道。夕死可矣。」劉知幾曰：「無汙青史。爲子孫累」至是使言狀。不應。促之。說曰：「臣不聞也。」易之等遽曰：「說與同逆。」

說曰：「臣知附易之朝夕可宰相。從元忠則族滅。今不敢而欺懼元忠之寃。后寤。」乃與元忠俱貶。　唐紀事本末

舉賢忘隙（一）

唐郭子儀與李光弼為朔方牙將。有隙。後因祿山亂。拜子儀為朔方節度。光弼肉袒謝罪。曰：「死固甘心。乞免妻子。」子儀急趨下階。抱持上堂而泣曰：「今國亂主遷。非公不能東伐。豈懷私忿時耶。」執其手。相持而拜。即薦之。遂合破賊。後俱為名將封王。

舉賢忘隙（二）

趙抃為御史時。與范鎮論事有隙。及王安石為相。鎮屢訐其短於上。安石恨之。一日。上問鎮於安石。對曰：「問趙抃便知鎮之為人。」上果問抃。抃曰：「忠臣也。」上曰：「何以知之。」曰：昔仁宗違

豫。鎮請立皇嗣。疏十九上。候命百日。鬚髮皆白。非忠臣而何。」上然之。既退。安石曰：「公不與鎮有隙乎。」曰：「抃何敢以私隙而廢公道。」安石大慚。王翱爲吏部尚書時。次孫瞵已蔭監生。將秋試。以有司印卷白公。公曰：「朝廷取士至公無私。汝若以僥倖中選。則妨一寒士進。且汝已有階得仕。又何必爾。」裂卷焚之。」此皆不以私廢公者。以私廢公。何得無報。

舉賢忘隙（三）

王旦爲相。寇準數短旦于帝。而旦專稱寇準。帝謂旦曰：「卿雖稱其美。彼專談卿短。」旦曰：「此臣所以重準也。臣在相位久。闕失必多。準言之無隱。益見忠直。」上愈賢旦。會中書有事送樞密。時準在樞密。見其違詔格。輒舉以奏。旦及僚屬皆得罪。已而樞密有事送中書。亦違詔格。左右欣然白旦。旦曰：「汝以前密院上聞爲是耶。不是耶。」曰：「不是。」旦曰：「他既不是。奈何學他不是。」命送樞密更之。準大慚。後準以侈肆被劾。旦全家保之。後旦將薨。獨薦寇準。此眞所謂休休有容者矣。子質爲侍制。素爲尚書。富貴奕世不絕。

舉賢忘隙（四）

金忠於人有片善。必稱之。雖素與公異者。其人有他善。未嘗不稱也。里人有數窘辱公者。公爲尚書時。其人以吏來京師。懼不爲容。公薦用之。或曰：「彼不與公有憾乎。」曰：「顧其才可用。奈何以私故掩人之長。」

不掩人長

馬周遊長安。主中郎將常何家。上以歲旱。詔文武官言得失。何武人不學。不知所言。周爲代草陳便宜二十四條。上怪其能。對曰：「此非臣所能。家客馬周具草耳」。上召之與語。甚悅。令直門下省。尋除監察御史。奉使稱旨。上以常何知人。賜絹二百疋。

無所偏狗

諸葛武侯嘗曰：「吾心如秤。不能爲人作輕重」。其治蜀也。用法公平。無所偏狗。中都護李平督運不辦。表免之。校尉廖立怨謗。於上。廢爲民。及亮卒。二人皆垂泣悲思。

不受人謝

宋景德中。寇犯邊郡縣。數罹其毒。主兵者無敢一挫之時。李居正以小官權稅一鎮。鳩募丁壯。奮力擊之。因深入其穴。奪所掠男婦老幼。悉還其家。人皆德之。而無肯爲之請賞者。惟張詠密以奏聞。眞宗大悅。立遷居正爲閤門祇侯。居正莫知所自。或以詠告。正乃急往見之。不獲達。因禮閽者傳入。榜帖詠批紙尾云「公臨財廉。臨陣勇。臨事勤。臨民惠。加以謹畏。此報國大丈夫也。所謝近私。不得相見。」居正德之。誓佩終身。

用人不私

宋王曾爲相。士大夫有請差者。公察其可用。必先正色却之。已而擢用。絕不與言。嘗曰「用賢。人主之事。若必使知之。是狥私而市恩也。恩欲歸己。怨將誰當」

反證得賢

昔有宰相當國。其子在家出遊。遇本縣典史於道。公子意典史下馬。典史以公子當下轎。因相角。典史大怒。呼卒擒出責之。公子受辱。寫書入京。言典史欺凌等語。公問明情由。乃回書致謝典史。嚴責其子。復薦帝重用。人問之。公曰：「敢責吾子。必英傑也。」果然

反證得賢（二）

楊溥執政時。其子自鄉來。公問以所經郡縣。其守令孰賢。對云：「道出江陵。其令殊不善。」公曰：「云何。」曰：「卽待兒苟且甚矣。」查乃天台范理也。公默記之。卽薦知德安府。再改貴州布政。或勸范當致書。范謝曰：「宰相爲朝廷得人。非私我也。」及公卒。乃祭而哭之。以謝知己。

途遇奇才

張建封博辨能文。慷慨尚氣。以功名自許。裴尚書寬罷政歸。途次。

見一人坐樹下。視履極敝。與之語。大奇之。曰。「以君才識。豈長貧賤者。」舉舟中錢帛奴婢。悉以貺客。客受而登舟。即戒飭奴婢。裴公益奇之。既乃知建封也。後官徐州節度使。裴之子孫。咸食其報

委曲荐人

宋趙普爲相。嘗薦某人爲某官。不用。明日復奏。又不用。明日又奏之。太祖怒。裂其奏投地。普顏色自若。徐拾奏歸。補綴明日復進之上乃悟。用之。果稱職。不惟薦賢當然。凡爲善事。必期委曲成就。皆當如此。

儲賢夾袋

呂蒙正夾袋中有册子。每四方人替罷謁見。必問有何人才。客去隨即疏之。悉分門類。或有一人而數人薦者。必賢也。朝廷求賢取

之囊中故其爲相文武各稱職

詢訪人才

漢董仲舒爲吏部文選汲汲以人才爲慮嘗云國之需才如農之積粟今士大夫矯激沽名以閉門謝客爲高天下人才何由而知故每客至輒延見詢訪有所得必書于册雖小官亦不敢忽

一見如舊

孫忭與唐介吳中復初不相識服其勁直力薦之擢爲御史章郇公與文潞公無一面聞其磊落一見卽爲推薦後爲名將入相虞雍公初除樞密偶至陳丞相應求閣內見楊誠齋千慮策讀一遍歎曰「東南乃有此人物某初除合薦二人當以此爲首」應求率誠齋相見雍公一見卽握手如舊薦之于朝

隱惡揚善

宋韓琦平心接物從無苛刻當國時士人日以文章獻佳者則鈔錄諷誦之曰「琦所不及」劣者則手自封藏不以示人也人有善則擊節歎賞曰「此君子也」有過則撫膺太息曰「此人平日甚好何以至此想傳聞之悞耳」或告公曰「能好人能惡人仁者之公心也公一味有譽無毀毋乃非直道乎」公曰「方今人才漸替獎拔之猶恐不振何容稍有挫抑且君子小人何代無之若嫉惡太嚴絕彼自新之路則人皆自棄矣吾備位宰相欲爲朝廷作養人材是以視人之得失不啻已之得失體應如是豈同鄉原作閹然媚世態乎」其人愧服而去公後五福全臻子封王爵女爲帝后子孫簪纓世世繁盛南宋末猶有作台鼎者

執政三朝德望隆平心接物不矜功視人猶已存仁恕胞與爲懷慕魏公。

正己率物

清湯公潛菴性介而和巡撫江左禁奢靡毀淫祠布衣蔬食正己率物吏化其廉民食其福每朔望環聚士民導以孝弟忠信雖農夫孺子必溫言勸慰如家人尤尊禮儒生（孝弟忠信。儒爲民倡。禮義廉恥。儒爲民望。崇儒所以崇道）吳俗一變解任時號呼遮道者數萬計及卒家家尸祝焉

婉拒供應（一）

何易于爲益昌令刺史崔樸泛舟遊春出益昌索民挽縴易于乃自爲之引舟樸驚問之曰「方春百姓不耕則桑惟易于無事可以代勞」刺史不安乃乘騎而去。

婉拒供應（二）

明正德時駕幸南都寇天敍以府丞署府尹事每日帶一小帽穿一䙛（音摋殿服也）坐聽事江彬每遣使需索天敍佯不見至近方起立語曰「南京百姓窮倉庫匱乏無可措辦府丞所以只穿小衣坐衙專待拿耳」彬知不可動遂不復索武宗聞之即擢天敍職其子孫皆貴顯

婉拒供應（三）

曹懷樸作令閩中有循聲為當時第一廉能之吏宰閩縣時值新廉訪莅任故事閩縣與侯官分辦署中磁器侯官費至銀千圓而曹以百圓了之司閽者不納且毀其器之半曹乃懷器單及各碗式親呈於廉訪曰「以大人上下人等計之無論侯官所辦若干

卽卑職此一單已足敷廚房茶竈之用。今爲闔人毀其半。亦願補行送入。若必求多且精。只有取之於民。非卑職所敢出也。」廉訪無如之何。轉獎慰之。

至誠明察

趙廣漢爲京兆尹。和顏接士。待吏殷勤。推功善歸之於下。曰：「某掾卿所爲。非二千石所及。」一行之發於至誠。吏見者皆輸心腹。無所隱匿。咸願爲用。廣漢聰明。皆知其能之所宜。盡力與否。其或負者。輒先聞之。諷諭不改。迺收捕之。無所逃。按之。辠立具。卽時伏辜。

爲政嚴察

齊蕭澂爲滄州刺史。爲政嚴察。部內肅然。守令參佐下及胥吏往來皆自齎糧食。澂纖介知人間事。有濕沃縣主簿張達嘗詣州夜投人舍食雞羹。澈察知之。守令畢集。澈對衆曰：「食雞羹。何不還他價直」。達卽伏罪。合境號爲神明。轉定州刺史。有老母姓王。孤獨。種菜三畝。數被偷。澈乃令人密往書菜葉爲字。明日市中看字。獲賊。爾後境內無盜。政化爲當時第一。

第四篇　仁德類

焚册保民

劉基曾祖濠仕宋爲翰林掌書。宋亡。邑子林融倡義旅。事敗。元遣使簿錄其黨。多連染。使者道宿濠家。濠醉使者而焚其廬。籍悉毀。使者計無所出。乃爲更其籍。連染者皆得免。基幼穎異。其師鄭復初謂其父曰：「君祖德厚。此子必大君之門矣」。基博通經史。尤精象緯之學。佐明太祖定天下。封誠意伯。

匿卷全民

明成化中。朝廷好寶玩。內侍言宣德朝。嘗遣太監鄭三保使西洋。獲寶無算。上命內侍至兵部。查西洋水程。時項忠爲尚書。劉大夏爲車駕郎中。項使都吏檢舊案。劉先檢得匿之。都吏徧檢不得。凡三日。劉竟不言。事亦得寢。項呼吏詰之。劉笑曰。「三保下西洋時。勞軍擾民。死者萬計。縱得珍寶。何益。舊案雖在。亦當燬之。尚追究有無耶。」項降位揖謝。指其位曰。「公陰德不細。此座不久當屬公矣。」後劉果爲兵部尚書。趨附意旨。不顧民命者。乃無學問之人也。所以聖賢教人愛民。便是忠君。不愛民。乃不忠也。

一字千命

五代時。魏王破蜀。王衍朝京師。行至秦州。而明宗軍變於內。莊宗東征。慮衍有變。遣人馳書詔魏王殺之。詔印已畫。宦官居翰發視之。詔書言誅衍一行。居翰以爲殺降不祥。乃以詔傅柱揩去行字。改爲家字。時蜀降人與衍俱東者千餘人。皆獲免。歐陽子曰「宦者之爲大害者。略可見矣。獨居翰更一字。以活千人。君子之於人也。苟有善焉。無所不取。吾於斯人有所取焉。」

活人萬餘

漢王賀爲御史。逐捕盜黨。務寬厚。他部御史。殺二千石以下。及通行飲食坐連者。大部至斬萬餘人。賀以奉使不稱免。嘆曰「吾聞活千人有封。吾所活者萬餘人。後世其有興乎」後子孫九侯五大司馬。

任咎救人（一）

宋周必大監杭州利濟局局內失火。火犯當死。問吏曰：「此火設起自官。應得何罪？」吏曰：「削職。」公曰：「我豈可以一官而坐視十餘人之命哉。」遂自誣服。各家俱免死。公竟罷官而歸。後夢神換帝王鬚。官至宰相。

任咎救人（二）

明夏原吉為戶部尚書時。有吏墨汙精微文書。惶懼待罪。公曰：「汝勿憂。」明日公入朝請罪曰：「臣不謹。筆汙精微文書。」上曰：「易之。」吏得無罪。又有從吏汙公賜衣。而懼者。公曰：「可浣。何懼為。」又有碎公寶硯者。公曰：「物皆有壞。吾未嘗惜此。」或問公量可學乎。公曰：「吾幼時人有犯者。未嘗不怒。始忍於色。既忍於心。久則自熟。不與人較。何嘗不自學來。」

任過援人

明葛守禮嘉靖中爲陝西布政。當大計。日有小吏塡老疾當罷。公請留之。吏部曰：『計簿出自藩伯。何自忘也。』公曰：『此邊吏去省遠。徒取文書登簿。今見其人。方知悞塡。過在布政司。何可使小吏受枉。』尚書驚服曰：『誰肯于吏部堂上自陳過悞。此可謂賢能第一矣。』後官至刑部尚書。

不戮俘虜

周世宗性躁急。果於殺戮。魏仁溥爲丞相。有忤旨者。引罪歸已。多賴全活。淮南之役。俘卒千人。仁溥從容收以隸軍。俱得免死。魏君起自刀筆。而存心仁厚如此。貴顯固其宜也。

斬魁免從（一）

漢趙憙爲平原守。時多盜賊。憙捕斬渠帥。餘黨數千人。皆免死。靑州大蝗。入平原界輒死。百姓歌之。

斬魁免從（二）

明傅作雨在虔州。所部嶺北。捕盜千餘人。戮其魁。餘盡宥之。虔人稱曰：「傅佛」。立祠祀焉。時撫贛中丞張岳與公兄作舟有隙。遷怒公。草文彈劾之。張母聞而驚曰：「是非所稱傅佛耶。何可以兄故誣之」。事遂已。後數月。不令母知。坐密室理前疏。而屋梁忽墜。碎其案。夜復夢關聖叱之。且語以夷齊不念舊惡。醒而駭汗。急邀公及同僚。言其由。既悔且嘆曰：「公。神人所共與也」。更爲知己。荐於朝。

寬容大度（一）

楚田之蔚爲福建令邑中有鄭某累官郡守來拜見蔚請敎曰「公作郡守多年必有異政曷示我」鄭曰「某任郡守平平無奇獨有容過一節差可信於心也」蔚曰「何爲容過」鄭曰「凡屬吏禮節多有闕略者吾容之無慍色恐慍而彼求悅搜羅地方矣且屬吏有犯顏敢諫屢攻吾短者吾容之無怒色恐一怒而彼諱罪頓忘直道矣」蔚歎曰「若此容屬吏之過正寡己之過也後嗣其昌歟」鄭長子官給事中

寬容大度（二）

韓魏公琦少擢巍科登顯仕知大名時僚屬路拯呈案狀尾忘書名公視狀畢卽以袖覆之仰首與語語定從容授還拯退而始覺

且媿且嘆曰：「眞天下盛德也。」或獻玉杯二。乃絕寶也。公以百金納爲珍玩。每宴客即設一桌。貯其上覆以錦。一日宴。漕使小吏誤觸桌倒。二杯俱碎。舉席愕然。吏伏地請死。而公神色不動。笑謂客曰：「凡物成毀。皆有數。」復顧吏曰：「汝誤也。非故也。」客皆嘆服。

寬容大度（三）

呂蒙正與李穆李玉並參知政事。初入朝堂。有朝士指之曰：「此子亦參政耶。」蒙正佯爲不聞而過之。同列不能平。詰其姓名。蒙正遽止之曰：「若一知其姓名。則終身不能忘。不若弗知之爲愈也。」時人服其量。

寬容大度（四）

李沆爲相。有狂生叩馬獻書。歷詆其短。李遜謝曰：「俟歸當詳覽。」狂生發訕怒肆言曰：「居大位不能康濟天下。又不能隱退。久妨賢路。寧不愧乎。」公於馬上踧踖曰：「屢求退以主上未允。未敢擅便耳。」終無怒色。

寬容大度（五）

楊守陳以洗馬乞假歸。驛丞不知爲何官。與之抗禮。笑問曰：「公官洗馬。日洗幾何。」公亦笑謂曰：「勤則多洗。懶則少洗。」俄報御史至。則公門人也。跪問起居。丞乃匍伏堦下。睨御史他顧。向公百狀乞哀。公笑而頷之。毫不較焉。

第五篇　奸邪類

忌妒人才

穆修以詩著名。遊京洛。題詩寺壁。眞宗見而歎賞之。問爲誰。左右以修對。上曰：「公卿何無荐之者。」丁謂一言阻曰：「此人行不逮文。」由是上不復問。謂之妬心如此。宜其死無葬身之地也

忌賢幸災

薛瓊身居相位。忌人得。幸人災。生平未嘗稱一善。舉一賢。晚年一子死獄。餘九子皆盲聾瘖啞傴僂癲癡。公明子皐見而憐之曰：「汝心行不良。恐至滅門。」瓊懼。求救。子皐乃以赤松子中誡經授之。瓊矢志力行。滌惡持善。子皐再過之。見諸子疾漸瘥。問曰：「得良醫乎。」瓊曰：「無之。惟前賜經。謹依行之耳。」子皐曰：「速哉天之報善。使行之終身。奚啻如是。」

醜詆賢良

宋林希爲中書舍人。章惇欲使典制誥。逞毒於元祐諸賢。且許以執政。希久不得知。遂諾。甘心焉。凡元祐諸臣貶黜之制。皆希爲之。備極醜詆。草制罷。擲筆於地曰。「壞名節矣。」後得病。十指俱落。舌爛而死。

排陷賢良

陳後主時。幸臣司馬申。好排陷人。一日晝臥尚書省。忽有惡鳥集身。啄其口。吻血流被席。死。周世宗時。陶穀亦好陷害人。死後葬昭覺寺。忽雷雨大作。劈開墓門。震攝其屍。不知所在。貶正排賢之報。不當如是耶。

違心媚奸

漢賈捐之賈誼曾孫也。元帝初待詔金馬門。數短石顯。長安令楊興曰：「君房下筆言語妙天下。然石顯方貴上信用之。今欲進。且與合意。即得入矣。」捐之與興共爲荐顯。奏稱譽其美。又爲荐興。奏石顯惡其反覆。白之上。捐之棄市。興髡鉗爲城旦。

陰毒害人

高隆之官太保。爲崔季舒等所譖。文帝令壯士笞百餘下。竟致死。後復殺其子悳樞等二十人。發隆之冢。斬截骸骨。初隆之見信高祖。性陰毒。睚眦之忿。無不報之。儀同三司崔季芬以結婚姻不果。太府卿任集以同知營構事多相乖異。瀛州刺史元晏以請託不遂。前後搆成其罪。並誅害之。終至家門殄滅。論者謂有報應焉。北齊書高隆之傳

陰險害人

李林甫未顯時。遇一道士。戒之曰：「君前生多善。名列仙籍。縱不白日昇天。亦爲二十年太平宰相。異日事權在手。切勿有所陰賊。」及既貴。怙寵害人。每夜坐偃月堂。閉門搆思。喜悅而出。則明日必有誅逐。久之。復夢道士曰：「君忘吾言乎。今獲罪矣。」於是命吏引入一處。耳中惟聞風水聲。府宇森整。帳榻華侈。林甫喜曰：「居此亦自不惡。」道士笑曰：「此乃鱗介所居。其間慘苦殊甚。尙謂不惡乎。」林甫駭汗而寤。未幾。白日被鬼毆。七竅流血而死。明年。即剖棺斲屍。後里中一牛震死。身有李林甫三字。又惠州雷擊一娼。脅下書云李林甫毒害。弄權帝命震死。又陸某割雞。請客而雞背宛然李林甫三字。驚而不食。

陰狠卑鄙

明焦芳粗陋無學識。性復陰狠。動肆譏訕。朝士咸畏之。時劉瑾專權。芳拜爲義父。自稱兒子。瑾喜。由翰林侍講陞吏部侍郎。俄進華蓋殿學士。居閣數年。瑾濁亂海內。變置成法。荼毒縉紳。皆芳導之。每遇瑾言。必極口贊揚。裁閱章奏。一阿瑾意。四方賂瑾者。必先賂芳。又結張綵劉宇等爲心腹。每舉一事。芳倡先則綵宇助之。或綵宇倡先則芳助之。彼此交通。成爲一黨。吉安大盜趙燧。殘破州縣。芳遷怒江西人。與瑾議減裁鄉試解額五十名。通籍者勿選京職。且言王安石禍宋。吳澄仕元。宜榜其罪。瑾笑曰。「以一盜故禍連一省。至裁解額足矣。宋元人物。亦欲株連耶。」乃止。後芳與綵權既相等。兩虎同窟。議論每多不合。遂有隙。綵盡發芳陰事於瑾。瑾大怒。斥令歸籍。猶治大第。宏麗無比。趙燧破泌陽。火之。發窖多得金寶。乃盡掘其先人塚墓。雜以牛馬骨燒之。求芳不得。取芳衣冠披庭樹。拔劍碎砍之。使羣盜汙其先代女塚。曰：『吾為天下報仇耳。』其見惡於盜尚如此。

諂諛卑鄙

宋趙師睪附韓侂胄。得知臨安府。侂胄生日。百官爭貢珍異。師睪後至。出小合。曰：『願少獻果核侑觴。』啓之。乃金蒲桃小架上綴大珠百餘顆。衆慚沮。侂胄嘗與衆客飲南園。過山莊。顧竹籬草舍曰：『此眞田舍間氣象。但欠犬吠雞鳴耳。』俄聞犬嘷叢薄。視之乃師睪也。侂胄大笑。聞者莫不鄙之。宋續通鑑綱目

荒淫

王黼為相。窮極富貴。置大榻於寢室。金玉為屏。翡翠為帳。環以小榻十數。擇美麗姬妾居之。恣為淫樂。日夜不已。所親或規之曰「此危道也。不見夫飛蛾者乎。飛翔燭上。驅之不去。終於焦爛。必期於死。聲色之害。不啻膏火也。而乃日戀不已。淫慾無度。後悔何及乎」一不聽。未幾禍作。身首異處。自古躭荒女色。未有不喪身亡家者。王黼之死。可戒也。

黨惡行奸

明阮大鋮以文章成進士。所著傳奇四種。膾炙人口。可稱一代才人。因熱中功名。拜閹人魏忠賢為義父。黨惡行奸。靡所不為。攻擊東林諸君子。不留餘力。及忠賢事敗。大鋮以魏黨被黜。削職居金陵。始知從前之悞。作十錯認以自悔。時復社正興。冒辟疆陳定生吳次尾爲首。有黜奸論。誅佞檄。皆爲大鋮作也。丁祭日。大鋮特奮紳。入班行禮。衆摘其冠。碎其服。拔其鬚。不容與祭。大鋮自此閉戶不敢入正人之列矣。懷宗煤山之變。南都震動。朝議欲立潞藩。大鋮與馬士英有舊。乃背衆議。往迎福王登極。建元洪光。大鋮以迎駕功累陞兵部。日導洪光爲無道事。不以天下爲念。大修舊怨。復社諸君。盡遭慘禍。甯南伯左良玉起兵淸君側。大鋮始懼。盡撤淮鳳亳泗諸鎭兵。移防上江。黃河淮揚一帶。寂無一兵。淸兵乘虛飛渡。大鋮正奉命防江。首先迎降。洪光逃竄。唐王繼立福建。大鋮又通書勸起兵。願爲內應。被巡役搜獲。按其日月。在已降之後。立命拿訊。大鋮方與客遊棲霞山。飲酒賦詩。聞信觸石死。仍戮其屍。至今遺穢儒林。

不顧名節（一）

宋尹穡未仕時有盛名儒林多歸之及仕附湯思退力詆張魏公逐除諫議人皆惡之後貶嶺南追悔前事語周益公曰「吾三十年名譽一時不審遂至破壞掃地悔無及矣」

不顧名節（二）

明崔呈秀但知趨勢不顧名節奸宦魏忠賢當國呈秀諂事無所不至認爲義父溺器上刻義子呈秀獻迨忠賢伏誅尋斬呈秀於市。

降賊被拷

崇禎甲申三月之變李自成出示文武百官俱於二十一日朝見時得皇子於民間謂自成曰「文武百官最無恥明日決來朝賀

矣。」至日朝賀僞主者。果一千三百餘人。至有請命題親試者。賊歎曰：「此輩不義如此。天下安得不亂。」於是始動殺戮之念。數日後大肆屠掠。朝官降賊者。俱拷夾迫贓。妻妾俱被淫汚。惟死難諸臣家。賊兵過其門。羅拜而去。不敢犯。（崇禎懷宗年號。自成李闖之號。）

降賊受辱

明懷宗末年。逆闖犯闕。朝臣死節者固多。而貪生畏死。開門迎賊者。亦自不少。有顯官某。其父在江南原籍。寄書曰：「天步艱難。正臣子戮力盡忠之會。吾家世受國恩。不可以二。勉之。」某捧書而泣。以死自誓。及闖煤山之變。赴密室自經。妻邵氏。妾高氏。奔往救下。妻勸曰：「君年正少。前程萬里。況有老親在堂。何苦自戕其身。」某曰：「吾奉父命爲忠臣。豈肯虧體辱親。難與卿輩白頭相守矣。」妾曰：「不然。凡爲忠臣者。必期有濟於國。今城破君亡。大仇未報。君默默捐生。與國奚補。聞南方諸省未爲賊據。君係南人。若肯暫屈一時。圖便偕妾輩囘家。一則可以奉老親。二則可以起復讎之師。三則夫婦依然完聚。不致中道拋離。一舉而諸善備焉。君其酌之。」某素愛妾。言無不聽。況其所說又娓娓動人。遂忘父訓。頓發轉念。穿青衣小帽。至奉天殿待罪。闖賊一見。便發僞刑部收監。追贓三萬。鐵繩箍腦。銅棍夾膝。受刑不過而死。妻妾亦不知流落何所。夫死於忠。與死於賊。等死也。一則流芳百世。一則遺臭萬年。是以君子當變故之來。貴乎自斷。妻妾之言。決不可信也。

貪汚失官

太倉一老儒。家傳一玉帶。乃奇貨也。邑令索之以餽權要。不獲。欲陷其罪。其族子某最無賴。與老儒有隙。探知令意。會邑中失盜。遂投匿名詞誣以窩藏。拘其父子於官。拷掠備至。家財蕩盡。老儒在獄中。忽夢其祖父曰「貪令欲害吾家者。止爲寶帶耳。遭禍如此。物何足惜。但終不願入彼手。使彼快心也。須密遣家人攜至京獻某要津。不獨白冤。且可雪恨。至於負心家賊。吾當自處之」既覺。密令家人。如言而往。要津果甚喜。囑直指按其事。邑令以故入人罪坐免。令既不得帶。復失官。竟怏怏死。老儒得釋歸。異其夢。然不知家賊爲誰也。未一月。族子腹生疽。肉潰。肺腸俱見。大呼曰「吾不合投匿名詞。害破某家。故受此報」自以手撈出肺腸而死。

貪汚抄家

江西厲輔國有八尺沉香牀。夏月臥其中。清涼無汗氣。蠅蚊不入。

又有銅鼎。重不踰二觔。十二相皆具。每值某時。則烟從某口噴出。皆成花鳥之形。眞奇物也。巡道支友石慕而欲得之。許以千金。厲不許。懷恨在心。時厲開傾銷銀店。家有爐錘。遂誣指爲違禁私鑄。卒兵役籍其家。厲聞風懷鼎遠遁。支得其牀並家財。猶不滿意。差人四處緝拿。必欲得其鼎而後已。厲逃至京師。住一兵部主事家。主事與支係鄉會同年。厲懇其解釋。主事曰：「渠爲巡道。子爲部民。欲與之抗。何啻以卵敵石。且此兩物。寒不可衣。饑不可食。渠以千金相易。子吝而不與。是自取禍也。不若獻之。以遂其欲。則差拿之禍。不求解而自解矣。渠爲朝廷命官。貪財愛寶。以致破人之家。悖而入者。必悖而出。將來報應。必所不免。子但拭目以俟之可也。」厲聞言感悟。將鼎付主事。轉送於支。支得鼎大喜。立刻銷差。覆書主事。云：「厲某可速回籍。仍將家財判給。」厲回。赴官請領。十不得一。惟飲泣而已。後支任滿。內陞太常。有親王知其藏有寶鼎。及沉香牀二物。遣人索取。支造假者獻之。王驗其非眞。大怒。尋事中傷。問罪抄家。二物遂入內庭。

貪汚被火

呂師造爲池州刺史。剽竊公帑。侵漁百姓。厚載而歸。舟泊竹篠。忽見一物。躍入舟中。火即隨發。一舟之物皆成煨燼。

枉爲貪官（一）

宋曹翰奉使江南。其主日以食物珍果餉之。見器皿悉皆純銀。悉留之。間用綾盒。即不受。一日宴。出水晶盤盞爲飲器。翰屢目之。因贈之。翰曰「此珍異物。歸當獻之天子。父母若見。必欲取之。奈何。

「又加賜二副。前後所獲約數十萬。及南征所獲金寶又數萬。乃上言曰：『臣于穎川造一佛寺。見廬山東林寺有五百鐵羅漢。願載歸』。上許之。因調撥官民船隻。載其所獲。各以羅漢置其上。時人目爲押貢羅漢。旋任戚遠節度。強取民間金帛菽粟。被汝陰令孫崇望所奏。流死登州。家籍于官。死後數年。子孫至有乞丐于海上者。

枉爲貪官（二）

韋公幹知瓊州。瓊多奇木。幹驅匠採伐。鞭撻橫施。具兩大舟。盡載奇木。雜以金銀。告老歸家。思以肥潤。浮海僅行一二百里。海風大起。二舟沈沒。僅以身免。歸後貧乏。不堪而死。

枉爲貪官（三）

明崇禎十七年三月一日上遣內監徐羔諭周后父嘉定伯周奎助餉金謝無有羔跪泣哀懇再三乃捐一萬兩上少之命再往僅再助一萬上怒奎密奏后后付五千令足三萬奎存二千止以三千繳後奎被闖賊夾打追出金銀各五十二萬金銀器百餘萬追完殺之又首相陳某賊加極刑獻銀三萬金三千珠三斗金銀器大小八千件幾夾死後爲亂兵所殺太監王之心被賊夾打追出金銀十五萬貂緞等物過之

貪貲不享

紹興一布政某巧於貪饕積財至數十萬及敗官歸買良田十萬畝富甲一郡其祖父屢見夢言冥譴將及不信止一子一孫淫賭無節頗著醜聲不數年間家貲已盡布政臨危忽張目大呼曰一

我官至布政不小田至十萬不少我手中置我手中了一口不絕吟而死

轉輾貪殺

後唐時秘瓊爲成德節度使有指揮董溫其爲契丹所虜瓊悉殺其宗族取其家貲巨萬計晉高祖立以瓊爲齊川防禦使槖其貲道出于魏時范延光鎮魏選精兵伏境上伺瓊過殺之悉取其貲以邏者誤殺聞延光反高祖赦之許以不死返居河陽挈眷而行輕重盈路時楊光遠留守河南利其貲遣兵脅之溺死于水中以延光自投水死聞粛取其貲光遠反其子承信投降亦許以不死陰遣何延祚殺之以病死聞古之取非義者一段因果歷歷可遡可驚可怖

貪詐神誅

巴郡守相伊庭儀以太守疾。攝郡事。郡民張威家奴萬貞投井死。其家訴於郡。謂威殺而投之。威不勝箠楚。遂誣服。蓋貞先有犯。威嘗撻之。不三日竊貲以逃。爲威所覺。度不免。乃自盡。實非威殺也。獄成。威之子以大珠百枚。遣人獻庭儀。來貸父死。庭儀謂曰：「汝囑醫者某日但以小篋作風藥來。雖在客前無忸怩也。」於是庭儀大集賓客。具酒肴。醫者至。且延之坐。酒三行。醫起以獻藥爲言。庭儀受之。方入中霤。旋悔曰：「事有不明。恐招謗議。」命出之。封題如故。復命醫者開篋取藥。分獻衆客。卒眞威大辟。威之子行哭於市。仰天呼寃曰：「還有靈神察此否」適梓潼神見之。夜追庭儀及威父子與醫者之魂訊之。得實。庭儀曰：「珠寶謀取之篋中藥乃所豫備者。珠方入而易之耳。復畏太守知。故不敢易其款」帝令鞭庭儀背二百。及旦。數人寤言皆同。方共訝之。俄聞庭儀疽發背號呼。月餘乃死。

貪刻貽笑

戶部郎某權關河西。以貪刻著。有一閩商販帛者匿稅。某覺之。乃盡取帛橫裂其半。數千金之貲。俱置無用。商大恨。焚其半而去。久之。潛入其鄉。欲刺之。時某已坐貪罷歸矣。既歸而貪不止。家故多妾媵。乃縱其與人私。而收其夜合之利。商至。聞其事。喟然歎曰。「彼衣冠也。甘心為此。貽笑無窮。天所以報貪夫者至矣。殺之何為。不如留之以竟天之報。遂歸」

姦貪狠愎

宋奉符令錢若愚早歲補官姦貪很愎晚年益迍蹇子女淪喪獨自無聊因投詞龍虎山祈禱夜夢神責之曰『汝心行俱虧奪算盡矣尚何禱爲』未幾卒

刻虐坐貶

鄭青臣性刻削爲槐里令虐使小民任滿歸合邑之民皆遮道唾駡青臣以部民侮官長奏聞眞宗曰『爲政在得民民心如是爾政可知尚敢怨民瀆奏耶』遂坐貶

驕盈

顏竣既貴權傾一時父延之心惡之所餽遺絕不受嘗謂竣曰『吾生平不喜見要人今不幸見汝』嘗早過竣第見客盈門竣臥未起怒曰『汝出糞土之中升雲霄之上驕盈若此其能久乎』後

爲宋武帝所殺。

奢侈

晉何曾性奢豪。務在華侈。日食萬錢。猶曰無下箸處。其子劭亦有父風。食必盡四方珍異。一日之供。以錢二萬爲限。子孫多驕奢陵駕人物。永嘉之末。何氏滅亡無遺焉。

又何綏奢侈過度。王尼謂人曰：「綏居亂世。矜豪乃爾。將死不久。」人曰「伯蔚（綏字）聞言必相危害。」尼曰「伯蔚比聞吾語。已死矣。」未幾綏果爲東海王越所殺。

諂奢貪吝

晉桓元篡位。入宮。其牀忽陷。羣下失色。殷仲文曰：「由聖德深厚。地不能載。」元大悅。以佐命親貴。厚自封崇。輿馬器服。窮極綺麗妓妾數十。絲竹不絕。晉性貪吝。多納貨賄。家累萬金。常若不足。元爲劉裕所敗。隨元西走。其珍寶玩好。悉藏地中。皆變爲土。後爲劉裕所誅。

吝嗇

晉王戎性好興利。廣收園田水碓。周遍天下。積貨聚財。不知紀極。每自執牙籌。晝夜算計。恆若不足。而又儉嗇。不自奉養。女適裴頠貸錢未還。女後歸寧。戎色不悅。女遽還值。然後懽欣。從子將婚。戎遺一單衣。婚訖而更責取。有好李。常出貨之。恐人得種。恆鑽其核。以此見譏于世。子萬有美名。早夭絕嗣。以從弟愔之子爲嗣。

枉費鑽營

明正德間。定州判熊佐。無惠及民。民亦忘之。後其子北原爲冢宰。

州人邱某將謁選。乃為故判追立去思碑。乞文勒石。摹搨裝潢。悉自營辦。蓋欲以餽冢宰為進身地也。及抵京。一疾遽卒。適同鄉施某亦候選在京。亟以微價從邱之從者購得之。持以獻冢宰。大喜。以高秩許之。未幾。冢宰以事去。代者至。始就選。乃得雲南安寧州。目竟流落罷歸。為其父立不朽之名。為之子者孰不喜之。邱計亦巧矣。詎料年之弗延。乃為他人有。施生不勞不費。坐得奇貨。自以為莫大之幸。美選可唾手得也。而竟亦止此。噫命也奈何。

柔弱無能

姚好問為邑令。謹慎廉潔。頗無失德。惟耳根甚軟。聽信人言。以致利歸胥役。怨歸自已。時值暮春。霪雨四十餘日。各鄉紛紛報災。姚親往查勘。見高阜之田均已涸出。二麥無損。惟西村低處有地數百畝。盡在水中。姚欲以偏災具報。承行吏曰：「本縣各鄉平穩。此處雖云被淹。數日水退。仍可補種雜糧。若分別報上。恐關駁詰。」姚明知係吏私心。但恐費事。遂隱而不報。開徵時。與豐收之地一例追比。又嘗欲建義學。修普濟堂。葺先賢祠宇。俱為書役所阻而年踰知命。妻妾俱無所出。姚時以為憂。一日其母病歿。心口尚溫。不敢入棺。越三日而復甦。姚泣跪母前。問其回生之故。母曰：「我見冥官云。爾為人廉謹。本應有子。但每遇善事。明知當為。往往為人言所阻。如報荒一事。無災者固不可飾以為有。受災者豈可隱以為無。前西鄉被淹。爾不分別。一例報熟。致災民身受血比。賣兒鬻女。完糧罪莫大焉。故絕爾嗣。以彰惡報。冥官曰：「愚昧之人。陷於不知。尚可容恕。惟知善不為之人。甘心自暴自棄。乃上天所深惡。可傳諭爾子。欲廣嗣續。須勇往行善。勿畏難。勿苟安。如是轉念。

久久自獲吉慶。庶匿災之罪。可以消除。』姚雖承母教。無如天性難移。每逢書役進言。仍爲迷惑。卒至因循不振。

執拗護短

明胡某劣於文。而僥倖登第。選東鄉知縣。人皆議其文字短處。即仇恨入骨。時名士艾南英。評隲天下詩文。有東鄉張姓者。以其子之文就政。艾一見笑曰：「令郎若遇胡令作房師。則高發無疑。」張驚詢其故。艾曰：「至不通人遇至不通人。自心心相印也。」詎意是科張子之卷。即分胡尹房中。薦而中式。謁見時。舉以艾之語告胡。胡拍案大怒。以艾名攛入大盜供中。申詳嚴拿。百計求免不得。忽有胡同年某赴京。路過東鄉。艾與之商量解釋之方。某曰：「此君一生護短。今被先生嘲笑。雖蘇張之舌。莫能動也。先生旣操選政。可速將伊鄉會墨。加以好批。刻入集中。吾自有計解此結也。遂往謁胡。閒中論曰：「此地艾南英先生。與年兄兩賢相遇。定然交成莫逆。」胡怒曰：「此大盜也。候批詳卽拏正法矣。」某曰：「無論艾先生決不爲盜。縱有此不肖之事。年兄亦當念知己。從中援手。不宜自相踐踏也。」胡曰：「吾與盜何知己之有。」某曰：「年兄尚未知耶。鄉會佳墨。彼俱心悅誠服。刊入某某集中。謂非知已而何。」胡不信。差人至坊中取來閱之。果然。不覺大喜曰：「吾固知艾先生不爲盜也。開罪多矣。」遂與某同往謝罪。前案竟得消釋。後胡審理案件。多不認錯。爲上司所劾。削職。終身零落。則護短。有何益乎。

第六篇　建設官

築閘堅固

明崑山張魯唯爲紹興知府時。府城五六十里外。有星宿閘爲一府水旱所關。乃朱買臣所築。其地瀕海。有二十八洞。延袤三四里。水勢最急。修補甚難。一錢太守修後。日就坍毀。屢築屢壞。民甚苦之。張公相度形勢。以爲築石非可永久。乃鎔鉛錫以灌之。其橋石與閘。鑄成一塊。約費巨萬。至今屹然不動。紹民乃以神祠之。

築塘惠世

宋時崑山自縣治以西。達於婁門。凡七十里。通連湖蕩。皆積水泥塗。無陸地可行。甚爲民患。由晉唐以下。不果修築。宋神祐中。有人建議繪圖以獻。亦不果行。至和二年。主簿邱與權始陳五利。力請興作。既而知縣錢公紀復言之。乃率役興工。始克成塘。稱至和塘。以年號爲名。開通河港凡五十有二。以洩橫衝之水。上設橋梁。以便行人。來往百世。猶受其惠。（按）所謂五利者。一曰便舟楫。二曰闢田野。三曰復租賦。四曰止盜賊。五曰禁奸商也。夫以如是之大役。由於邑尉之創始。卒貽後世無窮之利。然則留心民瘼者。豈必專藉爵位之崇高哉。

宿堤不走

王眞遷東郡太守。河水盛溢。泛浸瓠子金隄。老弱奔走。恐水大決爲害。尊躬率吏民。祀神祝以身塡金隄。因止宿隄上。吏民數千萬人。爭叩頭救止。尊。尊終不肯去。及水盛隄壞。吏民皆奔走。唯一主簿侍在尊旁。立不動。而水波稍卻迴還。

神助建橋（一）

北史崔亮爲雍州刺史欲營渭橋或曰：「水淺不可爲浮橋汎張無恆又不可施柱」亮曰「秦居咸陽橫橋渡渭此卽以柱爲橋惟慮長柱不可得耳」會大雨山水暴至浮出長木百根藉此爲用橋遂成百姓利之至今猶名「崔公橋」

神助建橋（二）

福建洛陽江地形瀕海舊設海渡渡人每遇風波溺死無算宋大中年閒有舟將覆忽聞空中曰：「勿傷蔡學士」已而風浪頓息一舟無恙詢之舟中無姓蔡者止有一婦厥夫姓蔡時婦方娠已數月矣心竊自異卽發願云「若所生一子果爲學士必造輿梁以濟渡者」後生子卽襄以狀元及第出守泉州時母夫人猶在

促公創建此橋。公念水深莫測。且潮汐頻至。何以興工。於是因循者年餘。母夫人促之益力。公乃移文海神。遣一隸卒齎去。其卒痛飲大醉。投書海中。酣臥海上。醒後視之。書已易封。公啓視之。止一醋字。翰墨如新。公恍然曰：「神其命我二十一日酉時興工乎」。至期。潮果退舍。泥沙擁積丈餘。潮之不至者連以八日。遂創建此橋。其長三百六十丈。廣一十有五尺。共費金錢一千四百萬。因名之曰：「萬安橋」。

鑿山通道

明殷都知夷陵。楚蜀分界。羣山插天。徑纔容足。而下臨不測之險。行者魂怖。乃鑿山爲道。至九千丈。開闢險道。變成坦途。又蜀之鹽禁甚嚴。販者常用小舟。乘風雨夜出峽。少不戒。人舟俱沒。都出示。以步擔易米。律所不禁。民遂無溺者。後爲職方郎中。子孫貴顯。

浚渠築路

薛大鼎以功遷滄州刺史。無棣渠久塞。大鼎浚治屬之海。商賈流行。里民歌曰：「新溝通。舟檝利。屬滄海。魚鹽至。昔徒行。今騁駟。美哉。薛公德滂被。」又疏長蘆漳衡三渠。泄汙潦。水不爲害。

築堤扞江

唐韋丹任江南西道觀察使。丹計口受俸。罷八州冗食者。收其財。置南北市。爲營以舍軍。歲中旱。募人就功。厚與直。給其食。以工代賑。爲衢南北。通兩營。築堤扞江。竇以疏漲。凡爲陂塘五百九十八所。灌田萬二千頃。有吏主倉十年。覆其糧亡三千斛。籍其家。盡得文記。乃權吏所奪。召諸吏曰：「若恃權取於倉。罪也。與期一月還之。』皆頓首謝。及期無敢違。有卒違令當死。釋不誅。去。上書告丹不決。會驗所告皆不實。丹治狀愈明。(注)衙今稱馬路竇今稱涵洞。

立堰溉田

梁夏侯夔為豫州刺史。豫州積歲連兵。人頗失業。夔率軍人于蒼陵立堰。溉田千餘頃。歲收穀百餘萬石。以充儲備。兼濟貧人。境內賴之。夔兄亶先經此任。兄弟並有恩惠。百姓歌曰:『我之有州。頻得夏侯。前兄後弟。布政優優。』

增堤涸田

韋景駿任肥鄉令。縣北瀕漳。連年泛溢。人苦之。舊防迫漕渠。雖峭岸。隨即壞決。景駿相地勢。益南千步。增高堤防。水至堤趾。輒去。其北燥為腴田。又維艚以梁其上。而廢長橋。功少費約。遂為法。及去。人立石著其功。後為趙州刺史。重出肥鄉。民喜爭奉酒食迎犒。有小兒亦在中。景駿曰：「方兒曹未生。而吾去邑。非有舊恩。何故來。」對曰：「耆老為我言。學廬館舍橋鄣。皆公所治。意公為古人。今幸親見。所以來。」

築閘通溝

漢召信臣勤政有方略。好為民興利。務在富之。躬勸耕農。出入阡陌。止舍離亭。稀有安居時。行視郡中水泉。開通溝瀆。起水門提閼。凡數十處。以廣溉灌。歲歲增加。多至三萬頃。民得其利。畜積有餘。信臣為民作均水約束。刻石立於田畔。以防分爭。禁止嫁娶送終奢靡。務出於儉約。府縣吏家子弟。好遊敖。不以田作為事。輒斥罷之甚者案其不法以視好惡其化大行郡中莫不耕稼力田百姓歸之戶口增倍盜賊獄訟衰止吏民親愛號曰「召父」

築閘灌田

隋趙軌爲壽州長史芍坡有五門堰蕪穢不通軌更三十六門灌田五千頃民賴其利子孫都知名

機鏈耕地

唐王方翼爲肅州刺史州無隍壍乃發卒建樓堞河西蝗獨不至境它郡民或餧死皆重繭移方翼治下乃出私錢作水磑薄其贏以濟飢瘵構舍數十百楹居之全活甚衆遷夏州都督屬牛疫民廢田作方翼爲耦耕法張機鏈力省功多百姓賴之

毀人成功

明山東蒙陰水。發決兩處口岸。朝廷差陳給事李御史到工。分岸搶修。限日完竣。陳狡而智。慮已工不速完。又恐李工先成。已不得獨擅其美。乃厚賄善泅水鬼。俟李功將竣。乘夜泅至水底。潛挖一孔。發時復決。陳即具疏。叅李庸劣誤工。朝廷命陳總理其事。李帶罪効力。李復獻策。用布袋數千。實以沙土。一齊俱下。則可堵塞上流。乘勢興築。陳佯從其策。仍命水鬼施前技。一袋去。衆袋俱崩。滔滔如故。李自認賠償。方免叅處。後值秋深霜降。水勢大減。陳得僥倖成功。部中議叙。加陞三級。晉副都御史。仍留工督率。陳自是目空一世。大言不慚。自詡神禹再世。同列皆惡其狂妄。且共知有敗壞李工之事。欲舉發之而無其隙。一日衆水鬼因前此分袋不均。醉後爭競。毆殺一人。縣中訊出眞情。通詳治罪。督撫特疏糾叅委

員查審水鬼供出陳賄囑前弊衆工員同聲作證歷歷不諱陳嚴加治罪李寃始白

執傲任性

明成垣道小有才執傲任性爲郡守時往往變亂前人之法自以爲能郡臨洞庭湖居諸屬上游每當夏秋湖水泛漲無處宣洩下游諸邑常被淹沒前太守相度地勢開濬引河以備宣洩又建滾水壩水小則水從壩上緩緩歸河若陡遇暴水則去壩使之分流雖近河田畝微有損傷然害小而利大也成到任後至壩上踏看良久笑曰「水直流則無阻旁洩則易溢是誰建此壩開此河者而使隣河田畝屢被水患百姓屢受饑溺罪莫大焉」乃起民夫將壩與各處港汊盡行堵塞改建隄工引河涸出招民佃種且立

石碑以誇其功名其隄曰「成功隄」有敎諭周見先諫曰「不愆不忘率由舊章遵古法而過者未之有也前府畢力圖之明公一朝去之紊亂規模倘遇暴漲水無歸宿之地民將爲魚鼈矣」成叱之曰「爾何知爾墓之木拱矣勿復言」周不敢再諫是歲立秋後霪雨四十餘日一夜暴風起湖水大發新堤開挖不及下游諸邑人口廬舍牲畜漂沒無數災民痛恨改名曰「成規隄」蓋作隱語以罵之

騷擾地方

隋麻叔謀爲開河大總管起天下民夫十萬剋日興工十人爲排五十人爲隊分段挑濬前段疏通後段阻塞排長隊長俱斬峻法嚴刑日夜催督沿途餓死病死及受責被斬而死者屍骸遍地民

間房屋墳墓稍碍河路。登時拆毀。由汴至淮。二千餘里。去城二十餘座。毀民屋數百萬間。拋棄骸骨不可勝計。一日晚間叔謀出帳閒步。見林中火光燦然。疑爲有寶。往視之。有無數披髮鬼蜂擁而來。將叔謀擒倒攢毆。大聲喊救。衆役奔來。已昏暈不省人事。延名醫巢元方診脉。云『爲鬼風吹入頭腦。』服藥而愈。戒之曰：『貴恙雖痊。每早須食羊羔。培養元氣。方免舉發。』叔謀出令著百姓供應羊羔。不惜厚賞。有大盜陶姓兄弟三人。其祖墳適當河道。求免無策。忽聞羊羔之令。大喜。夜間盜人家肥澤幼孩。去頭足。割肉成塊。五料烹煎。送至營門。時叔謀方用膳。見送羊羔者。舉筋恣意而食。其美異常。命重賞之。陶不受。每早供獻無缺。叔謀感其情。留酒飯。謂曰：『爾何不將蒸羊之法傳授庖人。爾可免費。吾亦安心矣。」陶避席跪泣曰：「那有蒸羊法。止有蒸孩子法耳。」叔謀驚詢其故，陶曰：「初次所送乃吾子。二三次乃吾兩姪。親丁不足。繼只得轉盜他家兒以伸孝敬。」叔謀曰：「吾與爾素昧生平。何苦如此用心。」陶告以求免祖塋之故。叔謀曰：「此易事耳。但羊羔必須照舊送來。」陶謝應而去。此風一倡。不逞之輩。皆盜殺幼孩以求媚。人家有小兒。燃燈守夜不眠。後煬帝怒其殘虐。腰斬之。

第七篇　財務官

一塵不染

明啓禎間。貴州王公總制兩廣。清查庫帑有贏金三十四萬兩。戶部已經開銷。軍餉亦皆發足。無主可歸。蓋緣承平日久。軍少餉多。

日積月累。遂以有此。莫能究其何自而來。朝廷亦不知也。公查得。欲具疏奏聞。家人莫敢言者。有同學老友。從容請曰：「公一塵不染。朝野共知。但此銀既非下取民膏。亦非上侵國課。公有令嗣四人。可以稍爲之計乎。報出三十萬金。留四萬金。分授四郎君。於公之忠介無損也。」公笑曰：「君言亦合情理。但孀居三十年之人。一旦爲兒孫計。白頭改節。毋乃左乎。」卒盡數題報。不留錙銖。後公子歷任郡守。諸孫元魁。接武清要相繼。

保全民命

宋虞允文知太平州。舊例民生子者必納添丁錢。貧家多棄子不舉。公憫之。以荻蘆稅補添丁錢。該稅乃官吏所私者。今僉額數萬。不以擾民。民生子並舉之。多以虞名。公位至尚書。二孫並登舉

催科不擾

徐九思官句容知縣諸所催科預爲之期逾期則令里老逮之而已隸莫敢至鄉落歲祲煑粥食餓者全活甚衆官至高州知府致仕句容民爲建祠茅山九思年八十五抱疾抗手曰「茅山迎我」遂卒。

濟人利物

漕督陶大臨嘗曰「吾儕一列仕籍即令念念濟人利物一生罪孽尚不贖萬一況吾官此閑局未得親民將何道而可憶昔以差出京自京沂越自越還朝凡幾千里或由陸而輿所用負載役夫不知若干人或由水而舟所用牽挽人夫不知若干人念茲菜色枵腹鶉衣之民皆人子也或當炎熱汗淋如雨喘息若雷或值嚴

冬。跋涉泥塗。衝冒雨雪。因而困頓道路者。何可勝道。此等罪孽。皆由我造。如果報之說不誣。能勿惕然乎。一

興利除弊

唐劉晏爲古今理財專家。其法置設諸道租庸使。愼簡臺閣士專之。時經費不充。停天下攝官。獨租庸得補署。多至數百人。皆新進銳敏。盡當時之選。趣督倚辦。故能成功。雖權貴干請。欲假職任者。晏厚以稟食奉之。未嘗使親事。是以人人勤職。嘗言士有爵祿。則名重於利。吏無榮進。則利重於名。故檢劾出納。一委士人。吏惟奉行文書而已。所任者雖數十里外。奉敎令如目前。頻伸諧戲不敢隱。惟晏能行之。它人不能也。旋領東都河南江淮轉運租庸鹽鐵常平使。時大兵後。京師米斗千錢。禁膳不兼旬。農挼穗以輸。晏乃

自按行。浮淮泗。達于汴。入于河。右循底柱硤石觀三門遺跡。至河陰鞏洛見宇文愷梁公堰厮河為通濟渠。視李傑新堤。盡其病利。然畏為人牽制。乃移書宰相元載。以為運之利與害各有四。（合中外相應）載方內擅朝權。既得書。盡以漕事委晏。故晏得盡其才。歲輸始至天子大悅。遣衛士以鼓吹迓東渭橋。凡歲致四十萬斛。自是關中雖水旱物不翔貴矣。初第五琦始榷鹽佐軍興。晏代之。法益密。利無遺。初歲收緡錢六十萬。末乃什之。計歲入千二百萬。而榷居太半。諸道巡院皆募駛足。置驛相望。四方貨殖低仰及它利害。雖甚遠。不數日即知。是能權萬貨重輕。使天下無甚貴賤。而物常平。質明視事。至夜分止。雖休澣不廢。事無閑劇。即日剖決。飲食儉狹。室無媵婢。然任職久。勢軋宰相。始揚炎為吏部侍郎。晏為尚書。盛氣不相下。晏治元載罪而炎坐貶。及炎執政。銜宿怨。罷晏貶忠州刺史。建中元年賜死。

重賦厚斂

南史沈客卿掌金帛局。時陳後主盛修宮室。府庫空虛。客卿惟以刻削百姓爲事。奏請不問士庶。並責關市之估。又增重品品考校。鏁領斛責嚴急。百姓嗟怨。每歲所入。過于常格數十倍。後主大悅。臺城失守。隋主以客卿重賦厚斂。民怨沸騰。斬于石闕前。

峻刻釀禍

乾隆末年。閩省虧空案發。州縣伏法者二十餘人。藩司以驚怖死。臬司以寃殺七命。爲人舉發。時甫擢陝藩。已起行。復奉部文追回正法。道府俱褫職。總督伍拉納。巡撫浦霖。並逮問入京。朝廷震怒廷訊。日施大刑。越日即押赴市曹。時伍兩目耿耿。猶能左右視。浦右腿已夾斷。橫臥車中。行刑時。已奄奄一息矣。當日總理清查局者。爲田鳳儀。天性峻刻。勾稽出入。皆就現虧爲斷。又以迫促了事。就中應劃應抵者。皆未及詳愼分清。撤局後總計庫項。乃浮出數十萬金。而死者不可復生矣。有古田令塔倫岱者。官聲本好。虧項皆有款可抵。當時未及查出。遂擬絞決。人尤冤之。田旋以丁艱歸。已過嶺。將上江山船。忽見船頭約有官銜纖燈七八對。最前一對。上書古田縣正堂字。可辨。心訝此閩員何以送出浙界。又何由徑入我船。及登舟。乃並無一人。問之僕從。亦無所見。由是得心疾。鬱鬱以死。

貪贓移害

姚孜與王虎奉命同盤大雲倉。孜受監吏賄。虛擡欠折正數。虎不知也。及事將敗。孜將原受金銀托漆其外以寄虎。虎不疑。留之後上司鞫勘。孜誣虎同受贓。搜檢得金銀托虎。乃知爲孜所賣。氣結而死。孜復用計。盡將已罪坐之。得自脫。自是常遇虎。時時發狂若與人毆擊。口鼻流血。既絕復甦。如是三年。知州錢延年爲請道錄宋之才禳救。孜忽從臥榻趨出。跪眞武案前。自陳始末。延年從旁錄其語。俟醒示之。慚憤而死。

火徵貪汚

唐建昌王武攸寧別置勾使。法外枉徵。爲一大庫。深百步。計百餘間。所徵獲者。悉貯于內。百姓破家者。累累。一日被火。數年貯蓄。悉成灰燼。

枉爲貪官

馬襄爲四川漕司。爲政貪殘。劉旴之亂。倉皇間親將五十兩大銀十錠沉井中。及亂定。窮水而取。竟不可得。

第八篇　考試官

拒托絕弊（一）

清乾隆時。葉毅庵以儒林丈人屢司文柄。督滇學時。諸城劉文正公適奉使至。見公喜曰。「吾見館閣諸君一出學差無不面豐體胖。今君如此清癯。半爲校士清勤。半爲官廚冷淡。不愧爲吾門下士矣。」一在粵西時。值乙酉選拔之期。有某生爲巨公婿。挾權要人手書。諄諄相托。得書。立焚之。不置一辭。榜出。其人竟不與闈屬翕然。按試各郡。約束丁役。無額外靡費。後繼任者。以地方供應事。釀成大案。竟羅重辟。撫臣劾奏學臣某按臨之處。較前任學臣葉某多派人夫至七百餘名。在安徽時年近七旬。大省卷帙繁多。而無一篇不過目者。夏夜校閱。盡屏僕從。惟留一幼僮揮扇。忽扇風燈滅。飭僮取火。葉每閱卷必據大几。將卷居中央取者置左。不取者置右。當滅燈頃。以兩手各壓兩邊卷上。乃暗中有一卷飛壓左手之背。及燈至覆閱之。則未過目之卷。其文實不佳。乃將此卷另行批抹。遍示幕客。而不言其故。於是署中驚以爲神。平生凡四任學政。皆弊絕風清。心安理得。四十歲外始連舉丈夫子七人。長與三以優行貢成均。四與五以舉人。二與六與七並成進士。六與七又入翰林。孫數十人。有由翰林歷吏部出爲監司者。其成進士舉人拔貢者。尙指不勝屈。簪纓之盛。盛極一時。莫與之京。

不狥私情

唐錢徽拜禮部侍郎。宰相段文昌以所善楊渾之學士李紳以周漢卿並求致第籍。徽不能如二人請。文昌怒奏徽取士以私有詔覆試。黜者過半。遂貶江州刺史。殷汝士等勸出文昌紳私書自直。徽曰「苟無愧於心。安事辨證邪。」敕子弟焚書。

誓不苞苴

王補庭太史。諸生時。歷游學使幕中。每閱文。必宣誓曰:「某佐某公閱卷。如稍涉苞苴。子孫不得與科目」。東人或有關節。輒密戒之。先賢曰世謂脫人刑獄受金何傷成人功名。取利非枉。不知刑賞國之大法。我以片語尺牘。顛倒是非使有罪者倖免。無辜者含冤。無學者倖進。苦讀者被黜。眞衣冠大盜。名教罪人。此財而可以貽子孫。計長久。吾不信也。不聽則辭館去。又會邑令某議白糧價過昂先生爲民請命。力爭不可。（民命所關甚大口頭造福無窮。）令感其言。每石大減其價。時尚無子。一夕夢朱衣神謂曰「汝種種陰功。聞於上帝。將以宋王沂公爲子嗣矣」未幾生子。小字阿沂。名敬銘。狀元及第。

不執成見

王起長慶中再知貢舉。欲以白敏中爲狀元。時有賀拔惎者。有文而落拓。與白往還。起病其人。密令親知。俾敏中與惎絕。敏欣然悉如所教。既而惎造門。使者語以主人他適。惎遲疑而去。敏聞之。遽躍出。連呼左右召惎。悉以實告。乃曰「一第何榮。不致奈何輕負至交」相與盡醉。連牀而寢。起聞之。高其誼。嘆曰「我比祇得白敏中。今當更取賀拔惎矣」是年賀亦登第。

納言受過

華亭徐存齋督學浙中。年未三十。士子文有用顏苦孔卓語者。批曰：「杜撰」。置四等。發放時。生當領扑。執卷請曰：「宗師見教誠當。但此語實出楊子法言。非敢杜撰也。」公遽起立謝曰：「本道僥倖太早。未嘗學問。今承教多矣。」改置一等。一時稱其雅量

誤黜神譴

江西周力堂癸卯鄉試。題是學而優則仕一節。文思幽奧。房考張某不能句讀。怒而批抹之。置孫山外。晚間各房考歸寢。張忽囈語不止。自披其頰曰：「如此佳文。而汝不知。尚靦然作房考乎」。自罵自擊不止。家人以為中風。急請眾房考來檢視之。得所抹周卷讀之。俱不甚解。乃曰：「試薦之如何」。大主考為禮部侍郎任蘭枝。閱而驚曰：「此奇文。通場所無。可以冠多士也」。會副主考德

公閱文倦假寐几上伺其醒告之德公問何字號曰「男字第三號」德曰「不必閱文竟定解元可也」任問故曰「我寢方酣忽見金甲神向我賀曰「汝第三兒子中解元矣」今得男字三號之卷豈非其驗耶」言畢閱文亦大加歎賞遂定元

無心造業

朱酉生孝廉在粱芷林中丞幕中嘗言其友葉某在某學使署內閱卷有一卷文甚佳而葉失手汚墨幾半學使見之不知爲葉所汚也竟置四等葉恐學使怒其粗卒亦不爲剖辨聽之而已後傳聞考四等者自縊死密訪之則知其家甚貧藉授徒餬口自考四等後其徒皆散去幾不能自存遂怨憤而成短計也葉自是甚咎悔後凡鄉試兩次皆有所見而皆以汚卷黜遂不敢復應舉每語

人曰「此余無心造業無心結寃而銜恨已如此當日何難一言自認爲此生解免哉」

得賄釀禍（一）

合肥許某望族也其兄曾爲某省學政有士子勉措二百金託許拔在三等許收金諾之偶以多事遺忘未與幹事比案發而此友竟置六等其人自念名利兩失遂縊而死妻亦抑鬱病故至康熙庚午許某入場應試自見其人立在號房內頓發昏迷自解考具上所結紅線遂一接長繫在頸內自懸其身於號口頸中止有一線而兩足已離地尺許舌隨吐出號軍急稟監臨時監臨者爲總憲傅公敕號軍速解救甦許乃發狂作鬼語因備述昔年得財誤事顛末俟門開歸寓所未幾復於寓所縊死

得賄釀禍（二）

六合尹林克正延地師仰思忠卜葬地。姻家方氏父亦大尹也。未葬。因薦思忠覓視。已得吉壤矣。方點穴。雨驟下而止。是夜思忠夢一老者曰：『今日之地佳乎。』曰：『佳。』老者曰：『切勿與之。此人爲考官時。賣三舉子。陰禍將至。若葬此。去當榮其子孫。非天意矣。』覺而詢之克正。果然。因托故辭歸。越三年。過其鄉。人問方大尹葬未。答曰：『未也。因與勢家爭墳。致死人命。牽訟至今。家業亦零替矣。』

得賄釀禍（三）

蘇無知爲兩浙考官。陰令其子同一僧。密訪富家子。賣與試題。掠金千餘。士子恨之。爲書一牌。標其門。曰：『出賣舉子蘇無知。既而事露。無知佯爲被詐者。私遣其子遠遁以滅跡。遂擒僧及富家子七人下獄。俱寘之死。後無知得狂疾。見七人時時在側。執鞭亂毆。曰：「汝父子作此昧心事。何得歸罪我輩。」無知去官。歸死途中。其子被盜扳。亦死於獄。

挫人所長

明周立民爲翰林侍講。主試南直。南直乃人文淵藪。美不勝收。周心懷嫉忌。每遇佳文。惡其高出已上。必多方尋疵。黜落之而後快。簾官吳逢年忿甚。抗言曰：「人之有技。若已有之。乃大臣之用心也。昔張方崖鎭蜀。有叅軍年老宜黜。方崖見其一詩。特疏推薦。至今美之。明公爲朝廷主持文柄。佳者不取。而劣者反收。其如公道何。」周怪其目無上司。大加斥責。吳任滿進京。爲禮科給事。將周任性乖張之處。歷歷陳奏。雖朝廷從寬不究。而此疏傳播。大爲士林吐氣。周由侍講轉太常。因太廟祭品缺略。奉旨降級。罰修邊城。帶罪立功。又與邊帥不和。周晝夜辛苦。賠盡家貲。將城修理完固。帥俱不錄其功。潦倒邊塞。窮苦萬狀。吳後陞僉憲。奉命巡邊。周具長箋。備敍歷年功績。被帥阻抑。求爲上達。吳謝而謂之曰：「挫人之長。乃太上所深戒。帥之今日挫爾。何異爾之昔日佳文不錄乎。報應固如是。其不爽也。吾不記前怨。當爲爾表白。」遂據實申奏。周雖得釋回鄉。諸子皆愚魯。不能繼書香。惟一孫聰穎能文。終身淹蹇。求青衿不可得。蓋云報也。

挾嫌抑人

令狐陶爲相時。曾以舊事訪於溫庭筠。庭筠對曰：「事出南華。相公燮理之暇。時宜覽古。」陶以爲訕已無學。遂奏庭筠有才無行。不許登第。庭筠因坎坷終身。有詩曰：「固知此憾人多積。悔讀南華第二篇。」

第九篇　外交官

壯氣迫人

趙毛遂平原君與之俱至楚。與楚王言合從利害。自朝至日中不決。遂按劍歷階而上。謂平原君曰：「從之利害。兩言而決爾。今久不決。何也。」楚王怒叱之。遂曰：「吾君在前。王叱遂者。何也。意恃楚之衆也。十步之內。王之命懸於遂手。不得恃衆耳。今楚地方千里。持戟百萬。此霸王之資。白起小豎子耳。一戰而舉鄢郢。再戰而燒夷陵。三戰而辱王之先人。此百世之怨。趙之所羞。而王弗知惡焉。合從者爲楚非爲趙也。」楚王曰：「唯唯。」遂曰：「取雞狗馬血來。捧盤跪進。次吾君。次招十九人歃血堂下。」曰：「君等碌碌。所謂因人成事者也。」楚乃遣春申君黃歇將兵救趙。平原君歸曰：「毛先生一至楚。使趙重如九鼎。勝不敢復相天下士矣。」遂以毛遂爲上客。

持節不屈

蘇武字子卿。持節送匈奴使歸。單于欲降之。使衛律致辭。武曰：「屈節辱命。雖生何面目以歸漢。」引佩刀自刺。律驚。自抱持。馳召醫。鑿地爲坎。置熅火。覆武其上。蹈其背以出血。武氣絕。半日復息。律知終不可脅。白單于。單于愈益欲降之。乃幽武置大窖中。終不飲食。天雨雪。武臥。齧雪與旃毛。并咽之。數日不死。匈奴以爲神。乃徙武北海上無人處。使牧羝。羝乳乃得歸。廩食不至。掘野鼠聚草實而食之。杖漢節牧羊。臥起操持。節旄盡落。積五六年。單于弟弋射海上。愛之。給其衣食。初武與李陵俱爲侍中。武使匈奴明年。陵降。久之。單于使陵至海上。爲武置酒設樂。說其降。武曰：「自分已死久矣。王必欲降武。請畢今日之歡。效死於前。」陵見其至誠。喟然歎曰：「嗟乎。義士。陵與衛律之罪。上通於天。」因泣下霑衿。昭帝卽位。匈奴與漢和親。漢使乃詐言天子射得雁。足有係帛。言武等在某澤中。以讓單于。單于驚謝曰：「武等實在。」乃歸武。留匈奴十九年。年八十餘。卒。

至死不屈

唐李希烈陷汝州。盧杞建議顏眞卿往諭。可不勞師而定。詔可。公卿失色。至河南。河南尹鄭叔則以希烈反狀已明。勸不行。曰：「君命可避乎。」既至宣詔旨。希烈義子千餘拔刃進。諸將慢罵將食之。眞卿色不變。希烈麾退。乃就館。逼使上疏雪己。不從。每與諸子書。但戒嚴奉家廟。恤諸孤。無他語。賊大會其黨。召眞卿使倡優斥侮朝廷。眞卿怒曰：「公人臣。奈何如是。」拂衣去。時朱滔王武俊田悅李納使者皆在。謂希烈曰：「公欲建大號。而太師至。求宰相孰先太師者。」眞卿叱曰：「若等聞顏常山否。吾兄也。吾年且八十。官太師。吾守吾節。死而後已。豈受若等脅邪。」乃拘送蔡州。眞卿度必死。作遺表墓誌祭文。及希烈僭稱帝。使問儀式。曰：「老夫耄矣。曾掌國禮。所記諸侯朝覲耳。」遂縊殺之。年七十六。

拘囚不屈

宋洪皓少有奇節。慷慨有經略四方志。高宗建炎三年。使金。時所在盜梗。艱難百端。得達太原。留一年。遣至雲中。尼瑪哈迫使仕劉豫。皓曰「萬里銜命。不得奉兩宮南歸。恨力不能磔逆豫。忍事之耶。不願偷生狗鼠間。願就鼎鑊」。將殺之。一校曰「眞忠臣也」。爲跪請。得流遞冷山。紹興十三年。拘囚者三十餘人。多已物故。以和議成。遣皓與張邵朱弁還。皓居冷山。屢因諜者密奏金事。力言和議非計。乞興師進擊。每遇貴族名家子。流落於金者。盡力拯救之。留金凡十五年而還。

不辱使命

宋富弼。聖歷中。契丹乘朝廷有西夏之憂。使蕭特末來言關南之地。帝許增歲幣。令呂夷簡擇報聘者。夷簡素不悅弼。因薦之。弼得命。即入對曰：「主憂臣辱。臣不敢愛其死」。帝爲動色。進弼樞密直學士。弼辭曰：「國家有急。義不憚勞。何遂以官爵賂焉」。遂往。弼至契丹。見契丹主。曰：「兩朝人主。父子繼好。垂四十年。一旦求割地。北朝忘章聖皇帝之大德乎。澶淵之役。苟從諸將言。北兵無得脫者。且北朝與中國通好。則人主專其利。而臣下無所獲。若用兵則利歸臣下。而人主任其禍。故勸用兵者。皆爲身謀耳。今中國提封萬里。精兵百萬。北朝欲用兵。能得其必勝乎。就使其勝。所亡士馬。羣臣當之歟。抑人主當之歟。若通好不絕。歲幣盡歸人主。羣臣何利焉」。契丹主大悟。首肯者久之。明日。契丹主召弼同獵。引弼馬相近。謂曰：「得地則歡好可久」。弼言「北朝既以得地爲榮。南朝必以失地爲辱兄弟之國豈可使一榮一辱哉』獵罷六符曰『吾主聞公榮辱之言意甚感悟今惟有結姻可議耳』弼曰『婚姻易生嫌隙本朝長公主出嫁齎送不過十萬緡豈若歲幣無窮之利哉』契丹主諭弼使還曰『俟卿再至當擇一事受之』弼還奏帝復使弼持和親納幣二議及誓書往且命受口傳之辭于政府既行次樂壽謂副使張茂實曰『吾爲使者而不見國書脫書詞與口傳異吾事敗矣』啓視果不同疾馳還都入見曰『執政爲此欲致臣于死地臣不足惜奈國事何』帝急召夷簡問之夷簡曰『此誤爾』弼語侵夷簡遂易書以行弼至契丹不復議婚專欲增幣契丹主曰『南朝既增我歲幣其辭當曰獻』弼曰『南朝爲兄豈有兄獻于弟乎』契丹主曰『然則爲納字』弼曰『亦不

可。」契丹主曰：「南朝旣以厚幣遺我。是懼我矣。然於二字何有。若我擁兵而南。得無悔乎？」弼曰：「本朝兼愛南北。固不憚更成何名爲懼。或不得已而至於用兵。則當以曲直爲勝負。非使臣之所知也。」契丹主知不可奪。乃曰：「吾當自遣人議之。」乃留增幣誓書。而使耶律仁先、劉六符持誓書與弼偕來。且議獻納二字。弼至。入對。因曰：「二字臣以死拒之。彼氣折矣。可勿許也。」帝用晏殊議。竟以納字與之。和好復定。以富弼爲翰林學士。固辭不拜。弼始受命使契丹。聞一女卒。再往。聞一男生。皆不顧。得家書未嘗發。輒焚之。曰：「徒亂人意。」故能成兩國之好。帝復申樞密直學士之命。弼辭。又除翰林。弼懇辭曰：「增歲幣非臣本意。特以方討元昊。未暇與爭。故忍死爾。敢受賞乎。」

死不事敵

宋劉韐知眞定。金人犯京師。遣韐使金。金人欲留用韐。韐曰：「吾偷生以事二姓。死不爲也。」歸書片紙曰：「金人不以予爲有罪。而以予爲可用。夫貞女不事二夫。忠臣不事二君。況主辱臣死。以順爲正者。妾婦之道也。予所以必死也。」使親信持書報其子子羽等。遂沐浴更衣。酌巵酒自縊。金人嘆其忠。

痛哭乞師

楚申包胥與伍員友善。平王殺員父奢兄尚。員曰：「我必覆楚。」包胥曰：「我必復之。」及吳師伐楚入郢。包胥乃入秦乞師救楚。依庭牆而哭。日夜不絕。勺水不入口者七日。秦伯哀之曰：「有臣如此。楚未可滅也。」乃爲之賦無衣之詩。遣將定其國。難昭王返國賞功。逃而不受。

截指乞師

唐南霽雲張巡守睢陽。霽雲從之。尹子奇圍睢陽。睢陽將陷。巡令霽雲犯圍而出。乞師于賀蘭進明。進明愛霽雲勇壯。具食延之。霽雲泣曰：「睢陽之人不食月餘矣。霽雲雖欲獨食。且不下咽。大夫坐擁強兵。曾無分災救患之意。豈忠臣義士之所為乎」。因嚙落一指。以示進明曰：「霽雲既不能達主將之意。請留一指以示信歸報」。座中皆為泣下。霽雲知賀蘭終無出師意。即馳去。將出城。抽矢射佛寺浮圖。矢著其上曰：「吾歸破賊。必滅賀蘭。此矢所以志也」。睢陽陷。與巡俱死于賊。宣宗朝圖其像于淩烟閣。

奇策制勝

班超與母隨至洛陽。家貧。常爲官傭書以供養。久勞苦。嘗投筆歎曰：「大丈夫無它志略。猶當效傅介子張騫立功異域。以取封侯。安能久事筆硏間乎。」後詣相者曰：「生燕頷虎頸。飛而食肉。此萬里封侯相也。」都尉竇固出擊匈奴。以超爲司馬。遣與從事郭恂俱使西域。超到鄯善。鄯善王廣奉超禮敬甚備。後忽疏忽。超謂其官屬曰：「必有北虜使來。狐疑未知所從故也。」乃召侍胡詐之曰：「匈奴使來數日。今安在乎。」侍胡惶恐。具伏其狀。超閉侍胡。悉會其吏士三十六人。與共飲酒。酣。因激怒之曰：「如令鄯善收吾屬送匈奴。爲之柰何。」皆曰：「死生從司馬。」超曰：「不入虎穴。焉得虎子。獨有因夜以火攻虜。使彼不知我多少。必大震怖。可殄盡也。滅此虜。則鄯善破膽。功成事立矣。」衆曰：「當與從事議之。」超怒曰：「吉凶決於今日。從事文俗吏，聞此必恐而謀泄，死無所名，非壯士也。」衆曰：「善。」初夜遂將吏士往奔虜營。會天大風，令十人持鼓藏虜舍後，約曰：「見火然，皆當鳴鼓大呼。」餘人悉持弓弩夾門而伏。超乃順風縱火，前後鼓噪，虜衆驚亂。超手格殺三人，吏兵斬其使及從士三十餘級，餘衆百餘人悉燒死。明日乃還告郭恂，恂大驚，既而色動。超知其意，曰：「掾雖不行，超何心獨擅之乎。」恂乃悅。於是召鄯善王廣，以虜使首示之，一國震怖。超曉告撫慰，遂納子爲質。固具上超功效，詔以超爲軍司馬，復受使。時于窴王廣德新破莎車，匈奴遣使監護其國。超至，廣德禮意甚疎，且俗信巫。巫言神怒：何故欲向漢？漢使有騧馬，急求取以祠我。廣德乃遣使就超請馬。超密知其狀，許令巫自來取馬。巫

至超斬其首以送廣德因辭讓之廣德素聞超在鄯善誅滅虜使大惶恐卽攻殺匈奴使者而降超重賜其王以下因鎭撫焉（後漢書）

曉敵地勢

宋劉敞奉使契丹素習知山川道徑契丹導之行自古北口至柳河殆千里欲夸示險遠敞質譯人曰：「自松亭趨柳河甚徑且易不數日可抵中京何故道此」譯相顧駭愧曰：「實然」

貪惡沒家

邢濤使暹羅還次崑山見賈客寶貨數船珍珠犀象無所不有濤襲殺之而取其貨懼人議已以半表進於朝有勅還以賜濤後子綷與王錤謀反伏誅鈔沒貲產幷逮家口靡有子遺

何苦貪財

李士衡與余英奉使高麗。所得貨物甚多。英恐過海船漏。盡以士衡之物藉船底。以已物置其上。及開船遇大風。船幾沉。舟人急請減載。倉皇信手拋去。及風定檢驗。則所棄皆英物。士衡物在船底。竟無一失。

另售模範人生觀巧談每冊各一角婦女故事家庭美德孝史官吏良鑒法曹圭臬民間懿行軍人道德

海門陳鏡伊先生編

道德叢書

●耗費十年心血●修齊治平之道●
●成此一部叢書●包羅其中無遺●
●全部共計千數頁並有王一亭先生字畫數十面●

模範人生觀 勤學篇 交友篇 立志篇 居鄉篇 器量篇 還金篇 事師篇 酒色篇 [illegible]

婦女故事 賢母類 節婦類 賢婦類 孝女類 孝婦類 惡婦類

家庭美德 夫婦篇 叔姪篇 父子篇 宗族篇 兄弟篇

孝史 尊親篇 葬親篇 敬親篇 孝感篇 養親篇 顯親思親篇 侍疾篇

官吏良鑒 清廉類 建設官 循良類 財務官 忠直類 考試官 仁德類 外交官 [illegible]

法曹圭臬 審檢官 獄官 [illegible] 律師

民間懿行 士篇 商篇 農篇 醫篇 工篇 雜篇

軍人道德 忠勇類 [illegible]類 仁德類 殘暴類 謀略類 奸貪類

考試佳話 上編三十五案 中編十二案 下編四十案

巧談 上編四十三案 下編六十八案

人獸之變 上編人與動物六十五案 下編人變動物六十四案

命相眞詮 [illegible] 改過篇 定數篇

富室珍言 上編善例五十五案 下編惡例二十三案

冤孽 [illegible]

●全部十四冊加發獎邀一紙精美書匣一只定價一元郵費角半●

發行所

上海霞飛路嵩山路口三層樓洋房道德書局

【電話八二七七四號】

考試佳話人獸之變命相眞詮富室珍言冤孽每冊八分以上同樣購滿五冊八折十冊七折郵費外加

國家圖書館出版品預行編目資料

官吏良鑑／（清）陳鏡伊編
-- 初版 .-- 臺北市：
世界，2015.08
面；公分．--（道德叢書；5）

ISBN 978-957-06-0531-0（平裝）
1. 倫理學 2. 通俗作品

199.08 104014585

世界書號：A610-2163

道德叢書之五

官吏良鑑

作者／（清）陳鏡伊編
發行人／閻 初
發行者／世界書局股份有限公司
登記證／行政院新聞局局版臺業字第〇九三一號
地址／臺北市重慶南路一段九十九號
電話／（〇二）二三一一一三八三四
傳真／（〇二）二三三一一七九六三
網址／www.worldbook.com.tw
劃撥帳號／〇〇〇五八四三七 世界書局
出版日期／二〇一五年八月初版一刷
定價／台幣一六〇元
道德叢書全套十四冊，定價二四〇〇元